La Scala

# CLAUDIO PIERSANTI
## Quel maledetto Vronskij

*Rizzoli*

Pubblicato per

# Rizzoli

da Mondadori Libri S.p.A.

Proprietà letteraria riservata
© 2021 Mondadori Libri S.p.A., Milano
Published by arrangement with The Italian Literary Agency

ISBN 978-88-17-15492-5

Prima edizione: marzo 2021
Seconda edizione: aprile 2022

# Quel maledetto Vronskij

… Eccolo, il nero
di seppia della notte, il fondo cupo
che devi lucidare con pazienza, percorrendone
i pori e le vene più invisibili. Volto per volto,
amico per amico: qualcosa da custodire,
da proteggere. Concentrare la luce in pochi tratti
che svettano sul nero: il rosso e il giallo
di qualche fiore o uccello, il bianco della neve.
La forza delle pietre: sette pietre senza nome,
ma l'ultima si chiama pietra sangue.

*Fabio Pusterla*

I

Non si piaceva, non si era mai piaciuto, neanche da ragazzo, e forse per questo già allora cercava di vestirsi con cura, da uomo, non come i suoi coetanei che accanto a lui sembravano fratelli minori. Anche continuando a frequentare malvolentieri la scuola aveva cominciato a lavorare a quattordici anni, d'estate e nei pomeriggi liberi, e con i suoi primi risparmi si era comprato un vestito blu e una cravatta. Sua moglie ci teneva quanto lui e nei suoi cassetti non mancavano mai camicie ben stirate e gilet senza maniche di diversi colori, che essendo da anni il regalo fisso di Natale si potevano definire una collezione. Ma se non si apprezzava troppo fisicamente, anche per il corpo assurdo che aveva, lungo e magrissimo, non era meno severo con le sue caratteristiche psicologiche. E quelle neppure una cravatta sgargiante poteva nasconderle. La gentilezza lo avvolgeva come una camicia di forza. Magari di buon tessuto morbido ed elastico, poco appariscente. E dello stesso tessuto doveva essere il bavaglio invisibile che lo costringeva al suo detestato sorriso. Detestato solo da lui, in verità, da quando se lo vedeva rinfacciare dalle troppe fotografie della sua vita. Troppe per quel sorriso che nei decenni era cambiato pochissimo, assumendo forse una piega leggermente malinconica. Le prime rughe in fondo lo miglioravano, gli davano un'aria più misteriosa, e neppure veder spuntare qualche capello bianco sopra le orecchie gli dispiaceva. Aveva sempre giocato d'anticipo, con il tempo. A vent'anni ne dimostrava trenta, ci teneva a sembrare un adulto e non voleva essere trattato come un ragazzo.

Le persone che erano con lui sul tram diretto verso il centro lo avrebbero definito un sobrio signore di mezz'età, magrissimo e alto com'era, e piuttosto elegante anche se i suoi abiti e le sue scarpe, di buona qualità, sembravano un po' fuori moda. In effetti abiti scarpe e cravatte erano stati acquistati molti anni prima ma una delle sue caratteristiche era appunto questa: era un conservatore. Non in politica ma nell'economia domestica. Conservava tutte le sue reflex, le sue macchine per scrivere Olivetti, il suo primo Apple con hard disk esterno made in Los Angeles, l'enciclopedia storica regalata da suo padre per il matrimonio, e appunto tutti i suoi vestiti degli ultimi trent'anni. Quando sua moglie se ne lamentava riusciva a comprimere le sue collezioni in spazi sempre più ridotti. Non c'erano cassetti normali in casa sua, ma puzzle a geometrie variabili e neppure un centimetro cubo andava sprecato. Restava un angolo nel mobile sottoscala? Lui ci sistemava un portapenne rovesciato pieno di Bic rosse a punta fine. Ne aveva almeno un centinaio, nascoste in posti strategici che ricordava senza problemi. In meno di mezzo centimetro erano raccolti i suoi tipometri. Lì c'era la sua collezione di lastre in rame con le illustrazioni di un antico volume di botanica, lassù i suoi contafili, i più belli mai costruiti, con lenti perfette senza neppure un graffio, accanto alle piccole scatole in legno con punzoni ancora nuovi. Aveva anche vecchissimi caratteri cinesi in legno, prezioso regalo del suo ex capo che li aveva comprati in un mercatino per due soldi. Per non parlare delle sue collezioni di segni ortografici: frecce, grappe e parentesi, mani indicative, chimica, ecclesiastici, astronomia, matematica, caratteri fonetici, asterischi e stelle. Ogni collezione occupava un posto preciso. Come se vedesse attraverso il legno dei cassetti e delle ante degli armadi, poteva trovare tutto in un minuto. A volte sentiva la nostalgia di una delle sue prime regimental e ricordava sempre dove l'aveva riposta. In effetti aveva diverse manie, su questo concordava con sua moglie.

Il tram andava più lentamente del solito ma c'erano pochi passeggeri. Almeno tre gli erano familiari perché li vedeva da anni. Era uno strano conoscersi, senza saluti e senza conversazioni. Solo sguardi sfuggenti, in cui però la conoscenza reciproca si manifestava in qualche modo rassicurante. È invecchiato, è dimagrita, sta male, sta bene. Quando era bambino, appena arrivato in città con la famiglia un po' smarrita, pensava che ci fosse un solo tram con il numero 14 ma gli altri scolari gli spiegarono che si sbagliava. La linea era così lunga che ce n'erano diversi in movimento. Perse addirittura una scommessa, aspettando il transito del secondo 14, visibilmente diverso dal precedente. La prima tratta del suo spostamento quotidiano finiva a piazza Cordusio, dove adesso si sarebbe fermato, ma per i vent'anni precedenti prevedeva un'altra tappa in metrò per raggiungere quello che chiamava "il vecchio lavoro". Non pronunciava mai il nome della storica azienda editoriale che l'aveva licenziato. Tutta quella parte di città era diventata tabù e se ne teneva alla larga come se fosse contaminata: certi incontri e certi stupidi rimpianti sui vecchi tempi andati non facevano per lui. Un signore avvolto in un pesante cappotto avvicinandosi verso l'uscita lo sfiorò e gli chiese scusa. Giovanni si affrettò a rispondere: «Per carità» e gli scattò in automatico l'odiato sorriso accomodante. Ma perché la sua faccia e le sue parole subivano un automatismo del genere? Non voleva certo trasformarsi in un mostro scortese ma così era troppo, mellifluo addirittura. Mellifluo, che bella parola! Non aveva letto molti libri ma disponeva di ben quattro grandi dizionari, uno più vecchio dell'altro, e gli piaceva consultarli quando aveva dei dubbi. Che soddisfazione per il tipografo segnalare gli errori sfuggiti ai signori redattori, ai giornalisti, ai dirigenti, tutti quelli del piano di sopra che in reparto chiamavano Fantozzi. Giunti al capolinea i pochi viaggiatori si alzarono tutti insieme, e lui fece un quasi invisibile cenno di passare alla signora vista mille volte, che passò rivolgendogli un cenno di apprezzamento. E naturalmente lui ricambiò con il suo sorriso. Era davvero una "persona tanto gentile" come veniva dipinto? O la sua era una maschera? Anche il capo del personale che lo aveva licenziato si era rammaricato dicendo: "Una persona così gentile…". Una persona gentile e anche un po' pirla, si disse con sincerità. Cos'altro era stato? Da vicecapo del più grande tipografo d'Italia, così giudicava Attilio, aveva insegnato a tutti a usare le nuove tecnologie, perché lui non era rimasto inchiodato in fotoincisa e si era sempre aggiornato. Una volta trasmesso tutto o quasi il suo sapere lo avevano licenziato. Aveva addestrato un drappello e i suoi uomini come primo incarico l'avevano fucilato. Per poi essere fucilati anche loro dopo qualche mese. Quando i morti sono pochi la gente se ne frega, ci ha fatto il callo. Si ha un momento di commozione dopo i cento. Per quattro o cinque, o dieci, quindici, non si modifica neanche il gesto della mano che sta afferrando un bicchiere. La strada del suo negozio era tranquilla, si trovava addirittura qualche posto per parcheggiare e i suoi rari clienti lo apprezzavano. Un giovane africano lo seguì per qualche passo proponendogli accendini e fazzoletti di carta, ma alla fine si accontentò di una moneta, che

Giovanni non poteva negare a nessuno. Per anni aveva comprato accendini fazzoletti e calzini, ora viveva come una conquista il gesto liberatorio di una moneta.

«Grazie babbo» gli disse quello voltando i tacchi.

«Buon lavoro» rispose lui e purtroppo gli sorrise. Sollevò la pesante saracinesca che sognava da anni di elettrificare e accese le luci al neon nei due ambienti poco illuminati continuando a darsi del cretino. Da quando sua moglie si era ammalata aveva comprato due telefoni cellulari e chiamò subito a casa. Avevano preso un impegno preciso: quando Giovanni usciva di casa tutti e due dovevano tenerlo acceso e a portata di mano.

«Ciao Dolcezza» le disse e ascoltò con piacere la bella voce della moglie, che gli chiese anche com'era andato il viaggio, perché così chiamava da sempre quel piccolo spostamento urbano di pochi chilometri. Dopo il consueto scambio di informazioni lei gli annunciò una notizia straordinaria, che gli disse abbassando la voce e separando bene le parole.

«Non hai visto che è fiorito l'ibisco? All'improvviso!»

«Ma quando? Ieri sera non c'erano fiori.»

«Penso all'alba.»

Parlarono a lungo di fioriere e fertilizzanti da comprare, di bulbi e infine della cena. A pranzo sarebbe andato con Gino, l'amico di una vita, nella solita tavola calda che frequentavano da anni. Non aveva molta voglia di lavorare, già stava pensando al pranzo. A volte riuscivano a prendere il tavolo da due appoggiato al muro, il più riservato, e quando ci riuscivano mangiavano con il doppio del gusto. Lungo e magro com'era, Giovanni nascondeva un discreto appetito, che negli ultimi anni si era molto attenuato. Quando sua moglie era stata operata si era dimenticato di mangiare per due giorni. Aveva paura di quei giorni, cercava di non pensarli ma ogni tanto gli apparivano come un fantasma spietato davanti agli occhi, qualunque cosa facesse. Indossò il camice e lo abbottonò completamente come aveva sempre fatto, poi sedette davanti al grande schermo che lo aspettava e iniziò a lavorare. Doveva finire di montare testi e fotografie di un grande catalogo pubblicitario che costituiva quasi un terzo del suo non invidiabile fatturato. Non conosceva i redattori del testo, li sentiva soltanto al telefono, ma per la correttezza e per la decenza grammaticale si affidavano da sempre a lui. Trovava circa venti errori, grammaticali e di battitura, in ogni pagina che controllava. Nessun quotidiano in città poteva vantare pagine corrette come le sue, chissà se qualcuno se ne sarebbe accorto prima o poi. Ecco dov'era arrivato il giorno prima: "La nostra splendida cassettiera di Grande Design!". Addirittura con il punto esclamativo, che cancellò senza esitare un istante. Avrebbe voluto cancellare anche "Grande Design" ma lo lasciò facendo spallucce. Non poteva battersi con il mondo intero. Del resto cos'altro potevano dire di una cassettiera identica a mille altre: che era splendida. Il legno chiaro esibito in superficie non era altro che una pellicola incollata su volgare truciolato, cosa si poteva pretendere per quella cifra insignificante? Forse il quadruplo del suo valore, ma in fondo i clienti non capivano niente e avrebbero spolverato e lucidato con cura la loro stupida cassettiera. Che faceva la sua figura in fotografia, inquadrandola meglio e raddrizzandola, visto che la foto era stata scattata da un dilettante. Aggiunse anche una didascalia in corsivo. Basta un dettaglio, per dare eleganza a una pagina. Giovanni non era un grafico, ma un tipografo con la sua esperienza sapeva fare un po' tutto. Era anche un ottimo rilegatore, gli bastava sfiorare una carta per capirne qualità e grammatura. Da apprendista aveva anche pigiato i tasti di una gloriosa linotype russa. Novanta tasti: a sinistra cassa bassa, al centro i numeri, a destra le maiuscole. "Il buon veleno del piombo!" diceva il vecchio tastierista mandando giù un lungo sorso di latte disintossicante.

Lavorava e pensava, i ricordi gli facevano compagnia apparendo in rapidi frammenti spesso sconnessi tra loro. Verso le dodici il dépliant poteva considerarsi finito e pronto per la stampa. Il focolare, così si chiamava il supermercato che gli commissionava ogni sei mesi il catalogo delle offerte imperdibili. Il loro capo l'aveva incontrato una volta soltanto: un bel sorriso e anche una certa simpatica faccia tosta. "Vogliamo apparire più belli di quello che siamo" e aveva scoperto i denti piccoli e furbi, accattivante e rapace. I suoi assegni erano sempre coperti e andava in giro con una grande Mercedes nera a ruote alte. Alla fine qualcuno quei mobili stupendi li comprava. Sì, il mondo era dei furbi, si disse, e lui furbo non era mai stato. Inviò il menabò al supermercato e accese la radio per ascoltare le ultime notizie. Nel pomeriggio doveva rilegare soltanto due tesi che aveva già stampato e sarebbe tornato a casa presto. Puntuale come sempre Gino entrò nel negozio all'una meno un quarto. Si era messo in tasca dei semi di zucca senza buccia e ogni tanto ne masticava voracemente uno.

«Buongiorno. Hai stampato la *Divina Commedia*?»

«Sì, anche *I promessi sposi*.»

Sullo schermo giganteggiava ancora la prima pagina del dépliant pubblicitario e Gino lo guardò scuotendo la sua grande testa.

«Ma mi spieghi perché non la mandano per posta elettronica 'sta roba? Che differenza c'è?»

«Che differenza c'è? Tra guardare uno schermo e guardare un foglio di centoventi grammi di buona carta? C'è la stessa differenza che c'è tra uscire con una delle fotomodelle che vedi alla fila dei taxi e toccarsi davanti al PC a casa tua guardando le donnine nude.»

L'amico ci pensò preoccupato e stabilì che uscire con quelle stangone che avevano trent'anni meno di loro poteva essere più stressante che altro.

«Oggi tanto per cambiare ho di nuovo litigato con mia moglie…» accennò giocando con una vecchia F di legno.

«Povera donna!»

«Ah lo so che tu le dai ragione…»

Si lanciò in bocca tre o quattro semi e li masticò sconsolato. Dopo di che Giovanni chiuse il negozio e se ne andarono a bersi uno spritz nel bar più vicino. Quando Gino si lagnava della moglie i loro dialoghi erano più brevi del solito e molto meno brillanti. Giovanni gli ripeteva le solite frasette di circostanza, le stesse da vent'anni, dette a mezza voce per non schierarsi totalmente con lui contro la Nina, che non aveva tutte le colpe ma neanche nessuna. Era troppo bella per Gino, l'aveva sempre pensato sin dai tempi della scuola e purtroppo l'aveva sempre pensato anche lei. In una battutaccia un suo giovane amante occasionale avuto durante una delle infinite crisi con Gino l'aveva descritta così: "Due palle, è una che si concede e guarda dall'altra parte. È come accoppiarsi con un quarto di manzo…". Naturalmente non aveva riferito l'aneddoto a Gino ma l'aveva sempre condiviso. Nina era anaffettiva, e anche un po' troppo viziata da una madre orribile. Si sentiva sprecata con lui. Lo chiamava "ragioniere" come se fosse un insulto. Anche "commercialista di merda", qualche volta. Gino era una brava persona, anzi Giovanni l'avrebbe definito magnifico, a suo modo perfetto. Perché una bella donna, anche se sfiorita dai quasi cinquanta, non doveva apprezzare un uomo simile? Ottimo padre, marito premuroso, e pure innamorato. Un po' noioso, questo sì, a volte un po' noioso. Ma quale marito non lo è? E stava per aggiungere: e quale moglie? Ma non riuscì a pensarlo davvero e gli sfuggì un sorriso. No, sua moglie non era noiosa e non lo era mai stata. Testarda, umorale, a volte diffidente, questo sì, ma con lei in tanti anni non si era mai annoiato. Se avesse dovuto scegliere una persona da avere sempre al suo fianco avrebbe scelto lei. In questo lui e Gino erano molto diversi, ma gli sembrava inutile farglielo notare. Sarebbe sembrata una vanteria e invece aveva soltanto avuto fortuna.

La tavola calda era quasi deserta quando arrivarono e mangiarono nel loro angolo preferito, con vista sulla strada. Presero anche un caffè e il solito amaro con un cubetto di ghiaccio. I pochi presenti parlavano soprattutto di calcio e non incontrarono nessuna delle vecchie conoscenze. Giovanni non avrebbe saputo dire di cosa avevano parlato mangiando, e questo gli sembrò molto bello. Si conoscevano così bene che potevano parlare senza pensare, ripetendo aneddoti e commenti decine di volte. Potevano parlare di automobili, vacanze, calcio, barche, e perfino di motociclette. Come tutti i cinquantenni sembravano sempre sul punto di ricomprarsi una moto, anche se non ne guidavano una da decenni. Insomma non si vergognavano se non affrontavano temi fondamentali. Avrebbero anche potuto parlare dicendo numeri a caso e la loro passeggiata del dopo pranzo non sarebbe cambiata. Di solito Gino parlava e Giovanni ascoltava, e la voce dell'amico gli sembrava una musica qualunque cosa dicesse. Gli faceva compagnia, lo calmava se si sentiva nervoso. Era un piacevole ron ron, la voce di Gino, che solo lentamente saliva di tono fino a farsi quasi acuta. La tavola calda distava circa un chilometro dal negozio di Giovanni, ma era una bella passeggiata, e quando serviva potevano comprare quel che nei loro quartieri non avrebbero trovato. Per esempio la moglie di Gino esigeva una certa senape che si trovava solo in centro e tutte le altre le giudicava immangiabili. Il lungo dettagliato racconto della crisi con Nina occupò quasi tutta la passeggiata postprandiale, giovando all'umore di entrambi. Gino, inizialmente infuriato, parlava adesso con maggiore moderazione, Giovanni era sprofondato in una sorta di leggera ipnosi, e il solito sorriso gentile e accogliente si era impadronito come una maschera del suo volto. Purtroppo la piacevole ipnosi fu infranta da una domanda di Gino, affilata come un rasoio.

«Come sta la Giulia?»

«È ancora a casa, non si sa quando torna al lavoro.»

«Ma sta meglio?»

«Sì, sta meglio…» Ma si rese conto di aver risposto a caso, per non doversi dilungare.

«E la Bruna? non si fa più vedere?»

La Bruna era la cugina di Giovanni, montanara spilungona come lui e cassiera in un piccolo supermercato del centro. Ogni tanto la Bruna si univa al loro pranzo e alla loro passeggiata. In certi periodi partecipava quasi ogni giorno, in altri spariva senza dare notizie, come succede nelle grandi città. Forse per discrezione, o forse per raggiunti limiti di tempo, Gino si congedò al primo incrocio e dopo una breve corsetta riuscì a prendere un autobus che aveva visto arrivare.

Giovanni riaprì il negozio e si mise a lavorare alle tesi che avrebbe dovuto consegnare il giorno dopo. Si occupavano entrambe di argomenti incomprensibili: una era quasi interamente in inglese, con strani numeri e grafici, l'altra era almeno per metà in tedesco e si occupava di un autore a lui completamente sconosciuto. I due ragazzi che le avevano scritte non sembravano in grado di affrontare imprese del genere, ma per questo li ammirò di più. Sapeva già che li avrebbe chiamati entrambi dottore, alla consegna, e avrebbe stretto a entrambi la mano per congratularsi con le sue solite gentilezze servili. Lo sapeva e sapeva anche che non avrebbe potuto comportarsi diversamente. Era nella sua natura. Perdendosi nel solito labirinto di ragionamenti sulla gentilezza giunse a una strana conclusione: doveva discendere da un gruppo di scimmie anomale. Contemplando la sobria bellezza delle tesi si disse con una strana fierezza: "Appartengo a una categoria morta". Ma quelle tesi sarebbero sopravvissute ai decenni e avrebbero parlato anche di lui. Dicendo che cosa? Ovvio: che bravo tipografo! E sarebbe servito a qualcosa quell'essere ricordato, così senza nome com'era? Si concesse una passeggiata prima di prendere il 14 con la scusa di cercare un piccolo regalo per Giulia. Le vetrine si erano fatte più brutte negli ultimi anni. Gli tornò in mente un antico negozio di pipe, le mille forme eleganti in perfetta esposizione, i bocchini d'ambra, le radiche compatte resistenti alla brace, le forme ricurve dei nonni di una volta. Giovanni non fumava ma una vetrina così dovevi guardarla per forza. Adesso era un negozio di intimo come tanti altri: mutande al posto di pipe preziose. Senza neppure rendersene conto si ritrovò davanti alla vetrina di una storica profumeria, molto amata da Giulia. Naturalmente possedeva già profumi e belletti che le piacevano ma ne desiderava sempre di nuovi. In quel negozio non sbagliava mai regalo, impacchettato nella storica carta dorata anche un bagnoschiuma avrebbe fatto la sua bella figura. Se la immaginava già, la sua Giulia, immersa nella vasca spumosa prima di cena. Si fece spruzzare sul polso diverse essenze e alla fine scelse una prestigiosa *eau de parfum* della marca preferita da sua moglie. Aspettò che glielo confezionassero e se ne andò verso casa accarezzando il prezioso regalo infilato in tasca. Il 14 faceva capolinea nel piazzale e ne trovò uno pronto e quasi deserto. Soltanto una coppia di anziani con i loro pacchetti e due o tre studenti annoiati sprofondati nei loro telefoni. Giovanni profumava come il negozio che aveva appena visitato, se ne rese conto subito. Al chiuso le diverse essenze esprimevano tutta la loro potenza. Profumo di muschio selvaggio. Se lo sentiva attorno come una nuvola. Misto al vago sentore di inchiostri che sempre lo accompagnava. Più aspro di quello che aveva acquistato ma non meno nobile. Le piante sono eterne, scompaiono solo in apparenza. L'aveva visto in un documentario sui vulcani. Le forme vegetali scompaiono e poi riappaiono, nuove e verdissime. Pensò che le piante non possono dire "Io", ma non muoiono mai perché vivono nel loro seme portato dal vento o dagli insetti. Un ragazzo seduto non lontano da lui ebbe un'improvvisa crisi di singhiozzo e tutti ne sorrisero, mentre lui faceva di tutto per nasconderlo. C'era una strana luce giallastra sulla città, i grandi palazzi brillavano, i visi sembravano più belli, e anche il cielo dava spettacolo con una splendida sfumatura dorata sull'azzurro profondo. Quando scese dal tram il cielo si era fatto grigio e le case sembravano tutte uguali; allontanandosi a piedi dal viale diventavano via via più basse e le strade più strette. Erano costruzioni abbastanza recenti, di circa trent'anni. Avevano un piccolo giardino davanti e come per miracolo, mentre camminava, si accesero uno dopo l'altro tutti i lampioni. Il fruttivendolo cingalese sempre aperto lo salutò e lui rispose esibendo il sorriso d'ordinanza, come incontrando un vecchio amico. La sua casa era in fondo alla strada, che finiva davanti al loro cancello. Oltre si apriva il piccolo parco del quartiere, che la sera veniva chiuso. Era una bella casa, riconoscibile tra le altre per il rigoglioso giardino, lodato e invidiato da tutti i vicini. Giulia era una grande appassionata di giardinaggio e dal giorno dopo il loro trasloco si era messa al lavoro, e non si era mai più fermata. Accanto al garage c'era pure una piccola serra di tre metri per due, anch'essa affollata e coloratissima. La definizione di pollice verde gli sembrava superficiale e inesatta: Giulia era appassionata e documentata. Aveva almeno dieci libri su fiori e giardini, e molte conoscenze le erano state trasmesse da sua madre, proprietaria di un grande orto al loro paese d'origine. Era autunno ma il loro giardino era ancora pieno di fiori. Giulia era in poltrona, davanti alla tivù. Lo accolse il buon profumo della cena, già pronta. Tolta la giacca andò a baciarla e avvertì attorno a lei l'odore amaro delle medicine. Odiava e amava tutte quelle medicine sparse ovunque per la casa. Avevano dovuto appendere una lavagna in cucina per ricordare gli orari di ognuna.

«Ho una piccola sorpresa» le disse porgendole il suo regalo.

«Si sentiva da lontano che sei stato in profumeria... Proprio quello che desideravo! Ricordi? Una volta l'ho anche provato e poi ho preso il solito.»

In realtà Giovanni se ne era ricordato soltanto quando era già nel negozio, pensando al regalo che voleva farle. Giulia amava i regali senza motivo. Non voleva mai niente di speciale per Natale o per il compleanno, anzi di solito andavano insieme a comprare quei doni. Poteva essere una serata qualsiasi, uguale a tante altre, e invece si trasformò nella sera del profumo. Dopo la rituale doccia di Giovanni e il bagno fuori orario di Giulia si profumarono entrambi e restarono in accappatoio. Giulia non voleva mostrare le cicatrici del suo intervento a nessuno, tanto meno a Giovanni, ma evitava di guardarle anche lei, così quando si immergeva nella vasca quasi scompariva nella schiuma. Erano sposati da ventisei anni, da quando erano ancora ragazzi, e la loro figlia aveva appena compiuto i venticinque. Conservavano intatta la sua cameretta, con i suoi cantanti appesi al muro con le puntine da disegno, e in giro per casa c'erano ovunque suoi oggetti come se vivesse ancora lì, ma in realtà era a duemila chilometri di distanza e non sarebbe tornata che a Natale. Non le avevano detto niente dell'intervento della madre, per non preoc-cuparla. La famiglia è un covo di preoccupazioni. Loro due si preoccupavano di non preoccupare la Piccola, così la chiamavano incautamente nonostante fosse altissima; Giovanni nascondeva le sue preoccupazioni a Giulia; Giulia era preoccupata per sé e per lui che vedeva preoccupato di nascosto, e naturalmente per la Piccola che si aggirava per il mondo, nel grande gelido nord dell'Europa. Queste varie preoccupazioni apparivano in diversi momenti della giornata e soltanto quelle comuni per la Piccola erano quasi sincronizzate. Anche se mancava da casa ormai da quattro anni, capitava ancora a entrambi di apparecchiare per tre. L'ora di cena era il momento ufficiale dei rimpianti e delle preoccupazioni. Crauti in scatola e würstel bianchicci erano l'unico alimento che immaginavano sulla tavola della Piccola, e neppure le sue rare fotografie di piatti più sani contraddicevano questa preoccupazione preliminare.

Certo, da loro era stata alimentata con cura e quando era partita per la Germania non aveva neanche una carie. Da quel momento i würstel erano scomparsi del tutto dalla loro dispensa e anche quando li vedevano al supermercato si scambiavano un'espressione di ribrezzo. La malattia di Giulia, apparsa pochi mesi dopo la partenza della Piccola, doveva per forza significare qualcosa e Giovanni non poteva fare a meno di pensarci. Ora, nelle loro vestaglie identiche, erano in cucina seduti ai loro soliti posti.

«Gino ha litigato con la Nina» le disse trattenendo il sorriso.

«Sai che novità! E per cosa stavolta?»

«Ci credi? Non mi ricordo!»

E risero entrambi, senza bisogno di ulteriori commenti. Giovanni si annusò una manica della vestaglia e rise più forte.

«Sul tram mi guardavano tutti, avevo provato anche altri profumi e sembrava di stare in profumeria.»

Ci tenevano a fare conversazione, ne avevano anche parlato. Dovevano continuare a essere una famiglia anche se erano rimasti in due. Non era stato facile accettare il cambiamento ma con il tempo ci erano quasi riusciti. La loro unica figlia non era mai del tutto assente, ma neppure davvero presente: la si poteva definire una mancanza presente. Era sempre lì anche se non c'era.

«Sai cosa pensavo mentre facevo il bagno? Che ancora non ci posso credere che ti hanno licenziato così.»

«Strano che ci hai pensato. Io non ci penso mai, ormai sono passati quattro anni.»

«Cinque» precisò lei.

«E poi cos'hai pensato? Ci sei stata mezz'ora, nella vasca.»

«Ho pensato che sarebbe bello sapere se rientro nel settanta per cento o nel trenta.»

«Ovvio, rientri nel settanta. È una questione di statistica.»

Essendo la Piccola laureata in Statistica la parola aveva un significato speciale, tra loro.

«Ti hanno chiamata dall'ufficio?» Cambiò argomento per dimostrarle che quel trenta per cento non lo gettava nel panico.

«Certo che hanno chiamato. Tre volte. Il boss non si ricorda neanche l'indirizzo di casa, dice che con l'altra non si trova bene e vuol sapere quando torno. Mi ha addirittura chiesto come sto.»

«Addirittura. Ma sai che farei al posto tuo? Mi metterei in malattia due mesi e me ne infischierei di tutto, sei lì da secoli!»

«Dài, non parliamone. Voglio tornare, mi distrae, non penso al trenta per cento.»

«Va bene, scusa, lasciamo perdere, hai ragione.»

«Prima ho sentito la Piccola. Dice che si trova bene, le solite cose.»

«Quindi? Perché quella faccetta preoccupata?»

«Non lo so. Oggi è una giornata così.»

«Ma se sei profumata come una Madonna.»

Finito di cenare misero in ordine la cucina con gli stessi gesti ripetuti migliaia di volte e finalmente si sistemarono sul divano davanti alla tivù.

Non c'era niente di speciale. Guardarono un film americano un po' zuccheroso soltanto perché si svolgeva in una grande casa circondata da un giardino stupendo.

«Sul licenziamento che si può aggiungere» le disse verso la fine del film. «Quando si è in pochi non importa a nessuno. È come il notiziario. Se non ci sono almeno cento morti neanche danno la notizia. Questo si può dire.»

Avrebbe potuto e voluto dire molto di più ma si trattenne, non voleva diventare come quei vecchi che raccontano sempre lo stesso fatto cruciale della loro vita. Il mondo è una tipografia impazzita, avrebbe addirittura gridato. Leggono fotocopie piene di errori, maneggiano libri finti, giornali pieni di sfrondoni anche nei titoli. No, caro editore, il proto non si licenzia! Il mondo è già pieno di errori.

«Sei andato a vedere l'ibisco? Che fiori bellissimi, rosso vivo, incredibile.»

Lo trascinò in giardino e accarezzò i suoi amati ibischi, in effetti pieni di fiori così rossi che al buio sembravano neri. Lui ne guardò uno con attenzione e si profuse in complimenti.

«Mai visto un colore del genere!» le disse abbracciandola. «È morbido come la pelle di un bambino.»

Giovanni aveva risistemato una vecchia panchina arrugginita che avevano trovato immersa tra le erbacce e andarono a sedercisi. Con le luci spente non poteva vederli nessuno, anche se le vestaglie bianche spiccavano come fantasmi nella notte.

«Stavo per dire: "Che profumo!", poi ho pensato che eravamo noi!» disse Giovanni.

Lei si accoccolò sul suo petto, trovandolo sempre più magro.

«Ti si contano le costole! Hanno tutte quei bei mariti con le pance e tu invece diventi sempre più lungo e magro. Con tutto quello che mangi! È ingiusto. Le mie colleghe ti odierebbero, ormai si nutrono solo di becchime con lo yogurt e continuano a ingrassare.»

Cercò nelle tasche dell'accappatoio e tirò fuori le sigarette: ne accese una mettendosi seduta sulla difensiva, aspettando la reazione del marito.

«Hai proprio ricominciato. Mi dispiace.»

«Perché no? Cos'ho da perdere, hai paura che mi rovini la pelle?»

Le rispose accarezzandole il viso, che gli sembrava sempre bellissimo. Qualcuno trovava Giulia un tipo qualsiasi, una donna senza niente di speciale, ma non la vedevano come lui. Tutto era regolare, in lei, le dita, le gambe, la forma del viso, gli occhi luminosi azzurro chiari, i capelli morbidi. Ogni particolare ribadiva questa coerenza, come in certi disegni del corpo umano, come la statua greca di una dea che avevano visto al museo.

«Spegni quella roba e andiamo a dormire, che ne dici? Comincia a fare fresco.»

Lei fece altri due o tre tiri, poi spense la sigaretta e si alzò.

«Vedrai che stanotte dormiamo bene» le assicurò accompagnandola dentro.

«Non ci credo. Mi sveglierò alle tre come al solito.»

«Vedrai.»

C'era una piccola cerimonia da compiere: mettere fuori la spazzatura, serrare porte e finestre a piano terra, attivare l'allarme. Finalmente salirono di sopra e andarono a letto.

«Chissà cosa starà facendo» disse lei parlando pianissimo.

«Magari sta dormendo, è quasi mezzanotte. Tua figlia è una dormigliona, lo sai.»

Giulia rimase a lungo immobile, fissando il soffitto buio sopra di lei. Lui si era messo sul fianco, vicino, e l'accarezzava cercando di calmarla.

«Profumi come un mazzo di fiori» le disse sfiorandole il collo. Giulia faceva yoga da molti anni e i suoi muscoli erano tonici. Il collo era la parte più sensibile del suo corpo, se l'accarezzava scendendo verso la spalla tremava tutta come se l'attraversasse una scarica elettrica. Voleva farla dormire, secondo Giovanni il sonno era alla base di tutto. Il corpo doveva rigenerarsi e lo faceva dormendo. Giulia non era proprio dell'umore giusto e dovette forzarla un

poco, con la grande delicatezza di cui era capace. Fecero
l'amore lentamente, ricavandone entrambi uno strano
intenso piacere. Cambia tutto con il passare degli anni,
anche le sensazioni più intime, il modo di camminare,
tutto. Fino a pochi anni prima faceva una corsetta quasi
tutte le sere fino all'ippodromo, ci teneva di più a tenersi
in forma. Anche a Giulia avrebbe fatto bene ma a lei non
piaceva correre. Le piaceva soltanto sciare, nient'altro.
Peccato, perché la corsa favoriva il sonno e il sonno era
la base di tutto. Giovanni si addormentò con pensieri del
genere in mente ma la notte non obbedì alle sue decisioni e
verso le tre si svegliò da solo nel letto che gli parve enorme
e deserto. Sul cuscino accanto al suo non c'era neppure
l'impronta di Giulia, le lenzuola erano prive di pieghe come
se avesse dormito da solo. Il pigiama di Giulia era sotto
al cuscino, segno che non prevedeva di tornare a letto. La
notte precedente l'aveva trovata al buio sul divano. Aveva
lo sguardo fisso, stava pensando, o forse aveva paura, ma
lui le aveva portato un bicchiere di latte freddo senza farle
domande. Ripensando a quello sguardo, che l'aveva fatto
sentire impotente, preferì non scendere subito al piano di
sotto. Aveva bisogno di stare da sola, certi pensieri non si
possono condividere. Altre notti scendendo l'aveva trovata
seduta sul tappeto in profonda meditazione, e si era sentito
indiscreto. Se avesse avuto bisogno di lui, per un'iniezione
o per altro, l'avrebbe svegliato. Giovanni si riaddormentava
facilmente, gli bastavano pochi minuti per ritrovare il filo

del sonno. Rimase a letto quasi fino alle quattro, cercando di immaginarsi quel che passava per la testa della moglie. Sentiva che non gli diceva tutto, si teneva il peggio per sé e cercava di smaltirlo da sola. Del resto era ovvio che fossero cattivi pensieri, ma il non conoscerli esattamente lo faceva sentire escluso da un mondo che fino a quel momento era stato comune. Questo gli faceva male: le loro vite si stavano separando. E lui di separarsi da lei, anche se solo per pochi istanti, non ne voleva proprio sapere. Quasi tutti i loro conoscenti erano divorziati o almeno separati, soltanto loro avevano resistito, senza fare nessuna fatica. Si erano trovati da ragazzi e non si erano mai lasciati. Grazie a lei aveva affrontato momenti terribili, come la morte dei suoi genitori e il licenziamento. L'aveva sempre detto, anche a Gino: "Da questo punto di vista sono l'uomo più fortunato del mondo". Uomini e donne sposati troppe volte sembravano dei falliti, ai suoi occhi, dei poveracci. C'era una finta felicità, in loro, che lo feriva profondamente. Dopo due o tre matrimoni le coppie si trasformavano in rapporti di lavoro occasionali, che avevano un senso solo per scalatori sociali e per le facce televisive, o per quelli che avevano problemi che Giovanni definiva nervosi. Erano tanti, tantissimi, sempre di più. Sembravano marci dentro, come certe piante che si erano rifiutate di passare l'inverno nel loro giardino: non erano buone neanche per il camino, facevano solo fumo. Non erano buone a niente. Verso le quattro e trenta si decise a scendere al piano di sotto. Trovò accesa soltanto la piccola luce sui fornelli. Tutte le finestre erano aperte, l'allarme era stato disattivato. C'era un tappetino srotolato, davanti alla porta finestra che dava in giardino, Giulia aveva già fatto i suoi esercizi e le sue meditazioni. Doveva essersi spruzzata ancora un po' di profumo, l'odore era ovunque. Chiamandola quasi in un sussurro, per non spaventarla, la cercò fuori. Giulia indossava un'elegante tuta viola e stava potando le rose rampicanti alla debole luce del lampioncino. Anche se appassite si vedevano ancora parecchie rose, che a lungo avevano rallegrato la parete. Lei lo salutò con un sorriso e continuò il suo lavoro.

«Sarebbe bello se si potesse morire come i fiori» gli disse senza voltarsi. «La loro vita si sposta da un'altra parte, con il polline, i semi, il loro profumo. I petali cadono uno dopo l'altro, quel che resta del fiore si piega in giù come se volesse cadere perché ha già dato il meglio di sé. Non c'è nessun rimpianto.»

«Una pianta non è una persona, non pensa.»

«Forse non pensa ma vuole vivere. E ci riesce. Non muore mai. Finché ci saranno rose nel mondo la rosa sarà viva.»

Lo disse con naturalezza, senza neppure voltarsi. Era troppo concentrata sui rami da tagliare e li tagliava con un colpo secco, senza esitare, con precisione millimetrica. Una donna che parlava bene tre lingue, che leggeva ogni sera prima di addormentarsi un libro dopo l'altro e che il destino aveva deciso di qualificare semplicemente come segretaria, sia pure di direzione, poteva avere di più dalla vita. Giovanni lo pensava da sempre e non aveva mai trovato il modo per dirle tutta la sua ammirazione e la sua gratitudine.

«Penso che hai ragione sulle piante e sui fiori» le disse dopo una lunga pausa. «Non ci crederai ma ho pensato anch'io qualcosa del genere. A che serve tutto questo pensare, poi! Le macchine sanno fare tutto? E allora che pensino al nostro posto!»

Capitava spesso nei loro dialoghi. I loro pensieri erano così compenetrati che a volte si trovavano a parlare all'improvviso di un argomento che avevano entrambi in mente. E capitava anche che l'uno ricevesse dall'altra i consigli che lui stesso le aveva dato anni prima. Molte frasi di Giovanni appartenevano al vocabolario di Giulia e viceversa. Parlavano spesso tra loro, anche se per natura erano entrambi abbastanza silenziosi. Giovanni non aveva mai parlato tanto con nessun altro, neanche con sua madre o con sua cugina. Da quando Giulia stava male non facevano più quelle periodiche conversazioni su tutto e su niente che avevano sempre amato. Si scambiavano poche parole per giorni e giorni, poi all'improvviso si mettevano a parlare e andavano avanti fino alle tre di notte. Forse aiutata dalle sue letture Giulia proponeva sempre più spesso strane riflessioni quasi filosofiche, citando pure la sua saggia maestra di yoga. Non sempre Giovanni si sentiva all'altezza di queste discussioni, anche se aveva letto alcuni libri di storia sulla Seconda guerra mondiale. La storia gli piaceva tutta, ma a parte gli ottimi ricordi scolastici non l'aveva mai approfondita. Avrebbe saputo comporre, stampare, rilegare qualunque tipo di libro, scegliendo carattere e giustezza in tono con il contenuto, ma purtroppo ne aveva letti pochi. Non aveva fatto l'università, ma era diventato il miglior tipografo del suo reparto, attivo dal 1919. Non sapeva altre lingue ma era bravo nel suo lavoro e secondo l'insegnamento dei suoi genitori questo era l'importante. Giulia decise di innaffiare e lui restò a guardarla, anche se il suo pigiama non lo scaldava abbastanza. A un certo punto volò un uccello piuttosto grande, sopra di loro, forse una civetta. Di sicuro erano gli unici in tutto il quartiere a dedicarsi a quell'ora al giardinaggio. Gli altri dormivano. Nessuna luce alle finestre. Era tutto fermo, non c'era vento, solo il getto dell'acqua che rovistava tra i cespugli di rose che non volevano saperne di appassire. Forse anche la malattia si ferma prima dell'alba, pensò, forse Giulia si svegliava in piena notte per godersi la sospensione. Non poteva succedere niente di male a quell'ora.

«Faccio un po' di yoga» disse lei arrotolando il tubo dell'acqua.

Giovanni rientrò in casa e preparò una ricca colazione come piaceva a lei. Aspettò che concludesse i suoi esercizi e soltanto allora accese il caffè. Il cielo cominciava a rischiararsi, era blu cobalto quando uscì a guardarla. Lei arrotolò il tappeto e rientrò in casa. La frutta, il latte, i biscotti, le marmellate, il pane tostato.

«Madame» le disse spingendole la sedia.

Lei gli sorrise e si lasciò servire come una principessa. Sembrava una ragazza avvolta nella sua vestaglia prima di andare a scuola. Forse da giovane non era la più bella nel suo giro di amiche ma a quarant'anni era diventata la più affascinante, di questo Giovanni era sicuro. Se l'invidia faceva ammalare, poteva essere stata l'invidia a colpirla.

«Gradisce il notiziario, madame?»

«Sì, grazie.»

Non accendevano mai la tivù di mattina, per tradizione ascoltavano un giornale radio.

Non facevano mai commenti, soltanto delle facce, di solito ironiche, quando sentivano certi discorsi. Come le pubblicità, che promettevano bellezza e salute, così consideravano le promesse politiche. Ascoltavano il notiziario soltanto per sapere se nel vasto mondo era successo qualcosa di terribile, o di assurdo, o di spettacolare. Se non c'erano notizie tragiche restavano concentrati sulla colazione, il pasto preferito di Giulia. Lei mangiò anche quel mattino, ma poi se ne tornò in camera un po' pallida e senza dire niente. Sapevano tutti e due che avrebbe vomitato. L'aria era umida, aveva un cattivo odore. La porta del bagno al piano di sopra si chiuse sbattendo. Forse per il rumore Giovanni si agitò e il cuore cominciò a battergli forte, come perdendo il ritmo normale, come se si ricaricasse. Il male era entrato nella loro casa, non l'aveva mai percepito così minaccioso come in quel momento. Mandò giù un'altra tazzina di caffè, poi si preparò e andò a prendere il 14 con il cattivo presagio nel cuore.

2

Passarono alcuni mesi prima che il cattivo presagio prendesse una forma assurda. Sentiva da tempo aleggiare qualcosa di terribile, sulla sua casa, anche nelle settimane di apparente serenità che precedettero gli eventi. Il carattere di Giovanni impedì che sconvolgesse le sue abitudini e la sua vita. Assorbì tutto lentamente e in silenzio, senza parlarne con nessuno. Un giorno di primavera avanzata era piegato sul bancone e lavorava con la concentrazione di sempre. Sembrava una giraffa, lungo com'era, e la sua posizione contorta mostrava con evidenza scientifica l'origine dei suoi dolorosi mal di schiena. Un tale ci teneva ad annunciare solennemente il matrimonio di sua figlia e aveva scelto buste e carte pregiate per gli inviti, scritti nella maniera più formale: a Giovanni sembravano un po' troppo ostentati quei caratteri svolazzanti, ma non aveva detto niente e non si potevano certo definire brutti. La carta era bellissima, da acquerello, e gli trasmetteva un sottile piacere fisico quando la toccava: duecentocinquanta grammi perfettamente cordonati, la carta più bella che aveva. La grande ventola impolverata spezzava il caldo e l'umidità che imperavano sulla città. Ma non il suo umore cupo che covava sotto la superficiale distrazione del lavoro. Giacca e cravatta se ne stavano appese sul vecchio attaccapanni e oscillavano al leggero vento sollevato dalle pale. Che ogni due giri emettevano un cigolio che faceva compagnia. A questo punto, Gino fece irruzione come in un film poliziesco.

«Ma sei qui?!»

«E dove dovrei essere secondo te?»

«Ti ho telefonato dieci volte tra ieri e oggi!»

«E io ti ho scritto: "Sono incartato ti chiamo domani".»

Per un po' Gino non disse niente ma proprio come un poliziotto si guardò attorno convinto di scovare chissà quale indizio.

«Ieri sono passato a casa tua, se vuoi saperlo. Ho suonato il campanello e tu non c'eri.»

«Per forza, ero uscito, un po' ho corso un po' ho camminato.»

«Ma non capisci che ci siamo preoccupati moltissimo? Ho chiamato anche Bruna. Hai fatto preoccupare tutti. Pensavamo che Giulia… che fosse successo qualcosa.»

Giovanni continuò a lavorare per qualche minuto, senza parlare.

«È tornata in ospedale? Sembrava stesse bene. Dovevate andare a festeggiare lo scampato pericolo. Allora?»

«Giulia è guarita, grazie al cielo. Ha fatto gli esami un mese fa e non ha più niente, almeno che si possa vedere. Dovrà controllarsi ma per adesso sta bene. Abbiamo festeggiato una settimana, siamo andati in montagna.»

«Ma allora perché non rispondi?»

«Perché Giulia ha fatto le valigie ed è andata via.»

«Cosa diavolo stai dicendo… Via dove?»

«Qui in città, credo.»

«Ma cosa ti ha detto, perché… un motivo ci sarà.»

«Sai cosa mi ha detto? L'ha scritto sul retro di una busta: "Perdonami, sono tanto stanca. Non mi cercare".»

«E se la chiami al telefono che ti dice?»

«Niente, è sempre spento.»

Gino era andato a sedersi su uno sgabello girevole e non sapeva che dire.

«E cosa pensi di fare?» riuscì a chiedere dopo un lungo silenzio.

«Niente.»

«Ma se siete sempre stati appiccicati come due acciughe! Incredibile. Veramente incredibile.»

Gino fece una serie di smorfie, sul fatto in sé ma anche sulla vita in generale. Di solito Gino tendeva a generalizzare mentre Giovanni tendeva a circoscrivere. Infatti di lì a poco Gino si ritrovò a parlare di politici e di calcio mercato, ma Giovanni aveva ripreso a lavorare. Stampando volantini pubblicitari pensava ad altro e l'amico gli faceva lo stesso effetto della radio che continuava a parlare in cucina mentre lui si faceva la barba al piano di sopra. Non faceva colazione da solo da trent'anni e gli metteva tanta malinconia che aveva preso l'abitudine di farla al bar. A casa prendeva soltanto il caffè, ma un caffè bastava a mettergli malinconia, e per questo lo beveva addirittura in piedi quando era pronto per uscire. Giulia doveva ancora prendere delle pastiglie, a colazione e dopo pranzo, e quando era l'ora si agitava e cercava il telefono per chiamarla. Poi mentre lo cercava si ricordava tutto. Soltanto pochi mesi prima aveva il terrore di perderla per la malattia e all'improvviso l'aveva persa quando sembrava guarita. Non riusciva a provare rancore per lei. Anche se gli era impossibile capirla, o forse proprio per questo. Esclusi rancori e torti pregressi, che non esistevano, non poteva trattarsi di una vendetta contro di lui. Lei da un certo punto in poi non aveva più messo in comune quel che pensava e quindi era inutile fare ipotesi, pur non potendo impedirne del tutto l'apparizione. Un altro uomo. Giulia era una bellissima donna, sapeva stare nel mondo, poteva frequentare qualunque ambiente senza sfigurare. Come lui, del resto. Quando erano andati a teatro e si erano vestiti benissimo erano due signori come e più degli altri. Giulia sapeva portare con disinvoltura un abito scuro ma poteva anche fare yoga in culotte senza perdere un grammo di classe. Stava ancora pensando a Giulia in culotte quando entrò sua cugina Bruna. Prima fece capolino dalla porta metallica con la sua faccia sardonica, poi apparve nella sua lunga spigolosità. Pur essendo alta quasi come il cugino non rinunciava mai a dei tacchi esagerati, che la facevano assomigliare a un buffo uccello da palude.

«Allora?» disse con la voce roca e scrutando i due uomini con aperta ironia. «Il mistero si è risolto? Tanto rumore per nulla?»

«Spegni quella sigaretta o stai fuori» le disse Giovanni senza neppure guardarla. Non aveva nessuna voglia di raccontare tutto di nuovo quindi non aggiunse altro e continuò a lavorare. Bruna soffiò verso la porta socchiusa una poderosa colonna di fumo e Gino pensò bene di accompagnarla fuori per aggiornarla sulle novità. Da anni non faceva così caldo di maggio ma Giovanni indossava ancora la giacca invernale e la camicia pesante. Giulia non aveva fatto il solito cambio di stagione, buttando all'aria tutti gli armadi della casa. Il tempo si era fermato pochi giorni prima, quando faceva ancora freddo e sembrava inverno. Ora che tutti erano a conoscenza della sua sventura non si sentiva affatto più leggero. Secondo sua madre i fatti propri non si dovevano raccontare a nessuno perché i consigli non servono a niente e si trasformano in pettegolezzi. Lo diceva nel suo cupo dialetto di montagna ma il senso era chiarissimo. Quando lo vedeva triste e taciturno non gli chiedeva mai perché: stava zitta anche lei e passavano il tempo in silenzio. Neanche con lei aveva senso confidarsi, visto che non serviva a niente.

«Ti serve un avvocato?» gli disse Bruna rientrando. Continuando a fumare raggiunse il rubinetto del bagno e spense il poco che restava della sigaretta.

«Per fare cosa? Non mi serve niente Bruna, grazie.»

«Vostra figlia lo sa?»

«Sì.»

Giunse finalmente l'inevitabile conclusione di Bruna: «Mmm…».

Era un suono antico, per Giovanni, molto diffuso nelle loro famiglie. Quando si doveva commentare un fatto abnorme si emetteva quel suono, che non esprimeva un dubbio ma appunto un commento, una sottolineatura che non aveva bisogno di altre parole. Apparteneva al mondo dei silenzi delle loro madri e significava sempre che è tutto inutile e le parole sono sciocche, ridicoli vezzi cittadini.

Gino guardò l'ora e forse per cavarsi d'impaccio propose: «Si va a pranzo?».

«Adesso andate a bere qualcosa al bar, quando finisco chiudo e andiamo.»

L'istinto lo obbligava a lasciar scorrere il tempo, ad allontanarsi dalla notizia da poco deflagrata e che lanciava ancora le sue malefiche onde. Stai giocando in difesa, si ripeteva da giorni. Spente le macchine infilò la giacca e si raddrizzò la cravatta davanti allo specchio rotto del piccolo bagno. Gli faceva piacere essere in compagnia ma sperava di non dover parlare troppo.

«Sai come andrà a finire?» profetizzò Gino. «Tempo un mese e tornerà a casa. Ci sono forme di esaurimento nervoso dopo certe malattie.»

Bruna, che aveva qualche anno più di Giovanni, camminava più veloce dei due maschi e ogni tanto doveva quasi fermarsi per aspettarli. Dallo sguardo che indirizzò a Gino non sembrò del suo stesso avviso.

«Mmm...» commentò, stavolta con una sfumatura dubitativa.

«Vi ricordate l'ultima cena di Capodanno?» disse Gino con l'aria di chi ha delle prove da esibire. «Immagino di sì visto che si festeggiava il nuovo secolo. C'eri anche tu Bruna, tuo marito, tua figlia che è andata via prima di mezzanotte...»

«Non parliamo di quella» disse con toni molto bassi la signora.

«Che c'entra il Capodanno» chiese Giovanni senza aspettarsi niente di rilevante.

Gino cominciava a estendere la tela.

«Io guardo i particolari, e me li ricordo anche, a differenza di qualcuno. Vi ricordate che avevo suonato diverse canzoni abbastanza romantiche, le solite robe, e a un certo punto Giulia è corsa da te e ti ha dato un gran bacio sulla fronte: "Il mio Giovannino!" ha detto. È vero o no?»

«Allora?» lo sfidò Giovanni.

«Una donna che medita la fuga non dice una cosa del genere, ha soltanto l'esaurimento nervoso. E dopo un po' torna a casa.»

Nessuno commentò l'arguta osservazione, ma per fortuna la tavola calda era vicina. La trovarono quasi deserta perché era prestissimo e si accomodarono vicino alla porta. Un lungo parallelepipedo di luce si stendeva ai loro piedi sulle mattonelle rossastre e diffondeva uno strano riflesso sui volti. Ordinarono vino e primi, e nell'attesa mangiarono formaggi e affettati. La bottiglia di vino era già finita quando arrivarono i primi. Bruna era abituata a bere vino sin dalla prima infanzia e ci aveva pensato lei a versare per tutti. Alla fine del primo erano un po' allegri, anche se la circostanza non lo era affatto. Ordinarono anche crostata e amari con ghiaccio per concludere, dopo i caffè. Bruna ordinò un secondo amaro e dopo averlo mandato giù in un sorso commentò: «Oh signore!».

Pagarono dividendo esattamente per tre e Giovanni si complimentò per il pranzo con la cassiera. Ora che Giulia se n'era andata la sua gentilezza gli sembrava ancor più grottesca.

«La pasta era scotta» lo corresse Bruna, ma aggiunse sorridendo alla ragazza: «Ma va bene lo stesso».

Gino aveva la faccia rossa e fischiettava. Bruna camminava con la sigaretta in bocca e lanciava verso l'alto le sue imponenti colonne di fumo.

«Che fregatura la vita. Che assurdità!»

46

Nessuno raccolse la riflessione speculativa, anzi all'improvviso Giovanni cercò di trattenere una risata perché gli era venuta in mente una cosa buffa da dire. Durante il pranzo non aveva detto una parola.

«Ma Gino, lo sai come si chiama Bruna davvero?»

«Che scemo!» disse la cugina.

«Bruna si chiama Bruna, che cavolo dici.»

Giovanni rise così forte che dovette fermarsi.

«No, si chiama Brunilde!»

«Cosa?»

E anche Gino cominciò a ridere.

«Ma guarda che coppia di scemi» protestò Bruna. Tenne il muso per qualche secondo poi scoppiò a ridere anche lei, e gli altri passanti si voltavano a guardarli forse con un pizzico di invidia. La strana allegria si spense presto e per un po' si limitarono a camminare evitando gli altri passanti. A Giovanni tornò in mente una sera d'ospedale, quando l'intervento di Giulia andava per le lunghe. Si era messo a parlare con un'infermiera giovane, piena di anelli e braccialetti strani. Una bella ragazza mora, con tanti ricci, anche molto simpatica. Le aveva fatto una battuta improvvisa delle sue, che però non ricordava, e per qualche minuto avevano scherzato come compagni di scuola. Aveva voglia anche lei di distrarsi, ma all'improvviso si era fatta seria e l'aveva guardato negli occhi: "Lei non ha voglia di scherzare", gli aveva detto. Era vero, non ne aveva nessuna voglia, e neppure la stava corteggiando. L'istinto è sempre

47

quello di darsi alla fuga ma non sempre si può. Bruna e Gino avevano già smaltito l'allegria e lo guardavano come l'aveva guardato l'infermiera. Colpevoli di aver riso con lui in un momento simile. Si sentivano in dovere di mostrarsi in lutto. Per questo non si dovrebbe mai dire niente a nessuno, si rimproverò Giovanni. Ti fai la fama di malato e non ne esci più. C'era anche dell'autentica affettività nello sguardo preoccupato dei suoi unici amici, forse lui si comportava allo stesso modo con gli altri, forse era tutto inevitabile.

«Vedrai che torna» ribadì Gino quando si salutarono.

«Fatti sentire» si limitò a dirgli Bruna, e anche lei andò a prendere un bus.

Finalmente solo riaprì il negozio e prima di rimettersi al lavoro si lavò i denti con cura, per non perdere nessuna delle sue abitudini. Soltanto verso le tre, quando Giulia doveva prendere una delle sue pasticche, provò a chiamarla al solito numero, che continuava a risultare irraggiungibile. Lo sapeva che non avrebbe risposto ma aveva tentato lo stesso senza neppure deciderlo. Stampò i dépliant che doveva ancora consegnare e neppure si accorse che nel frattempo era sceso il buio. Continuava a far caldo anche se la ventola girava alla velocità massima. La vecchia Xerox emanava una metallica onda di calore nel raggio di due metri. Quelle ore che passavano cancellate dal lavoro erano preziose, per lui, addirittura un farmaco. Così dovevano essere le sue giornate. Alzava gli occhi e si era fatto buio. Anche se le giornate si erano allungate di molto. In bagno trovò una colonna di formiche in piena attività. Salivano lungo un vecchio tubo e sembravano dirigersi verso lo sciacquone. Restò a guardarle ammirato per diversi minuti. Si chiese se una formica avesse una sua famiglia e poi pensò che il formicaio era la sua famiglia, con una regina madre che si occupava delle uova. Quando mancava una formica, e lui avrebbe potuto ucciderne a centinaia semplicemente con uno spruzzo di insetticida, nessuno ne faceva una tragedia e la famiglia restava sostanzialmente la stessa. In un documentario aveva visto che in caso di inondazione le formiche operaie formavano una sorta di tappeto galleggiante per portare in salvo la regina con tutte le sue uova. Anche da morte le formiche che facevano da zattera continuavano a serrarsi con le mandibole. Gli umani avevano società più complesse, ma al centro c'era sempre una famiglia, o qualcosa del genere. Un posto dove non si poteva sostituire facilmente chi veniva a mancare, chi moriva o chi se ne andava per sempre. Perché conoscendo Giulia lo sapeva che era andata via per sempre, le visioni di Gino non valevano niente, e del resto non ci prendeva mai. Lui giocava, allargava il discorso, generalizzava, prevedeva gli eventi, aveva una sua audacia ma non veniva mai premiata. Non usò l'insetticida, perché in una tipografia non c'è niente da mangiare per le formiche. Forse erano solo in transito, nel suo bagno, forse erano dirette al piano di sopra quindi la cosa non lo riguardava. Abbassando la saracinesca già si rimproverava: Adesso sono gentile anche con le formiche!

Sono un mollusco! Forse Giulia lo trovava troppo gentile, cerimonioso, forse si era semplicemente annoiata e dopo aver avuto paura di morire voleva godersi la vita. Certo, quando stava male neanche ci pensava a scappare, poi appena guarita... via! Era così immerso nei suoi pensieri che gli altri passeggeri del 14 sembravano figure di cartone senza faccia. A un certo punto, su un marciapiede lontano gli sembrò di riconoscere proprio Giulia, che avanzava con una grande borsa di tela. Sembrava lei ma di sicuro si sbagliava. Indossava un soprabito strano. Non era lei. L'incontro, anche se illusorio, lo aveva così agitato che per la prima volta non scese alla sua fermata. Se ne accorse che stavano chiudendo le porte e non fece neanche il gesto di provarci. Scese duecento metri dopo, tra due gruppi di case bianche tutte uguali che piacevano molto a Giulia, anche se non aveva mai capito perché. Di solito apprezzavano o disprezzavano le stesse cose, soltanto quelle villette a schiera facevano eccezione. Camminò volentieri fino a casa, incontrando solo un signore che vedeva spesso insieme al suo buffo cagnolino. Non l'aveva mai visto parlare con qualcuno, doveva essere solo anche lui, e da molto più tempo. Avrebbe voluto parlarci, certamente aveva qualche consiglio da dargli. Forse nessuno dei due aveva voglia di tornare a casa e potevano farsi un po' di compagnia passeggiando nel quartiere. In realtà quando quasi si sfiorarono non fecero altro che salutarsi con un cenno della testa, come facevano da anni. Giovanni non aveva nessuna voglia di tornare a casa ma non sapeva dove andare. La loro strada era decisamente più bella di quella con le case bianche, anche se adesso gli sembrava quasi ostile, nuda, scolorita, umida. Corse in cucina e bevve come un assetato nel deserto una grande tazza d'acqua minerale gelata. Poi prese un vecchio limone e lo strizzò nella tazza prima di riempirla di nuovo d'acqua gelida. Aveva mangiato e bevuto troppo a pranzo. E la pasta era scotta, vero. Tutti quei complimenti. Grazie prego scusi tornerò, zumpapà. Tolse cravatta e camicia, e infilati i pantaloni di una tuta andò a bere la sua limonata in giardino. Non ci andava da giorni. Esattamente da quando era partita Giulia. Sapeva che non lo avrebbe trovato in gran forma, con tutto quel caldo. E infatti tutto stava appassendo. I cespugli e le begonie erano secchi. Resistevano soltanto gli arbusti e le rose. Gli sembrò quasi immorale bere davanti a loro, così rientrò e aggiunse un po' di vino freddo alla sua limonata. Purtroppo la casa era diventata un'estranea. Tutti gli oggetti gli sembravano vedovi e senza senso, proprio come lui. Pensò che dormire gli avrebbe fatto bene. Non aveva senso cenare. Neanche salire in camera aveva senso, a piano terra faceva più fresco e non aveva mai dormito sul divano. Ci si buttò con slancio e lo trovò comodissimo. La coperta di Giulia profumava senza ritegno del suo profumo migliore. La boccetta l'aveva portata via, segno che il regalo era stato apprezzato. Era molto importante per lui sentirsi apprezzato. Il sospetto che Giulia se ne fosse andata per il suo deludente risultato sociale non doveva sfiorarlo ma lo sfiorava. Un caporeparto di fresca nomina licenziato così, con tanti complimenti. Era stupido prendersela con la storia e i tempi che cambiano. Ma anche se la sua professione era come svanita dalla realtà, insieme a tante altre, era riuscito a inventarsene una marginale ma più che dignitosa. L'affitto delle macchine più costose, l'incontro con la Curia e le sue varie pubblicazioni, poi i supermercati, con i notai e gli studenti più ambiziosi: una serie di miracoli. Non era colpa sua se il suo mondo stava svanendo. Sì, la sua vita in fondo era stata una lunga serie di piccoli miracoli salvifici, non un fallimento. Avevano appena comprato una bella macchina, uscita di rado dal garage ma con la prospettiva della casa di montagna era perfetta. Avevano messo da parte un discreto gruzzolo per gli anni a venire, ora quasi dimezzato: Giulia stava ritirando i suoi soldi un po' alla volta. La loro immensa fatica era stata inutile. Insieme alla miriade dei suoi pensieri si addormentò e dormì fino alle nove, quando il campanello lo fece saltare sul divano. Aveva lasciato la porta aperta così vide già dall'ingresso l'inconfondibile figura di sua cugina, gravata dal peso di due grosse borse.

«Che ore sono?» le chiese.

«Le nove e un quarto. Dormivi?»

«Mi ero addormentato sul divano, scusa l'eleganza. Per me potrebbe anche essere mattina, e invece sono le nove di sera...»

La accompagnò in cucina accendendo le luci via via. Cercava di sistemarsi i capelli, che dovevano aver assunto una forma spaventosa. I suoi coetanei erano quasi tutti stempiati, a lui invece i capelli continuavano a infittirsi, diventando sempre più indomabili. Doveva tagliarli più corti, anzi cortissimi.

«Dopo gli spaghetti scotti di oggi ho pensato di farti un po' di pasta al forno con formaggio e asparagi.»

«Ma no, grazie, non dovevi disturbarti.»

«Anche due scaloppine al marsala, basta scaldarle. Come si accende questo? E due zucchine al vapore, tutto qui.»

«Sei fuggita con la cena? A casa tua protesteranno.»

«Hanno da mangiare per settimane, non fanno altro. Mai che ti dicano un grazie. E per fortuna che non c'è il grande!»

«Io invece ti ringrazio molto, è un bel pensiero, grazie. Magari io berrei un bicchiere di latte e me ne andrei a dormire. Ma sono contento che sei passata, hai fatto un sacco di chilometri.»

«E una bottiglia di Traminer ancora fresca!»

L'aprì subito e riempì i bicchieri. Sorseggiando il Traminer scaldò la cena mentre Giovanni apparecchiava. Un sottile filo di fumo saliva dalla sigaretta abbandonata sul davanzale della finestra aperta e svaniva civilmente tra gli alberi. Anche quando Bruna si concedeva uno dei suoi tiri profondi il fumo veniva lanciato in giardino.

«Se non innaffi si secca tutto» gli disse servendo il primo, fumante e profumato.

«Mi sono dimenticato, che giornate assurde, proprio assurde.»

Non era del tutto sicuro di essersene dimenticato: percepiva la progressiva secchezza del giardino anche se non lo guardava, ma non poteva farci niente. Era più forte di lui, non poteva proprio innaffiare.

«Più tardi lo faccio» le assicurò sapendo di mentire.

«Ma che buono! Sei sempre più brava col pasticcio di pasta. Deliziosi gli asparagi.»

Scolarono la bottiglia e ne presero un'altra dal frigo. Mangiavano come una vecchia coppia, in silenzio, alla montanara. Avevano entrambi più voglia di bere che di mangiare, così avanzò più di metà della cena e Bruna mise tutto in frigo per il giorno dopo.

«Domani hai la cena pronta.»

Riordinarono in silenzio, poi Bruna andò a fumare in giardino e lui lavò i piatti. Era grato a sua cugina per la visita, si sentiva meglio. La sapeva forte, legata alla terra, l'aveva vista correre per viottoli scoscesi, salire sugli alberi, tirare con la fionda. Senza farsi troppe domande aveva sempre dubitato del suo vero orientamento sessuale. Era più brava a sciare, da ragazzina, che a cercarsi fidanzati. Una volta si era mostrata nuda, fingendo di non vederlo davanti alla porta socchiusa, e così aveva visto la prima donna nuda della sua vita, con grande delusione perché non c'era proprio niente da vedere. Lui era un bambino, non sapeva nulla, ma anche lei viveva ancora in un mondo infantile. Erano cresciuti bene insieme, era diventata la sorella che aveva sempre desiderato, e una perfetta compagna di giochi. Erano come scoiattoli, loro due, come mai erano finiti in città? La modernità, i grattacieli, l'azienda, la tipografia. Poi così come era scomparsa la professione di boscaiolo era scomparsa anche quella di tipografo, che gli era sembrata l'immagine stessa della modernità. La velocità delle rotative, più alte e imponenti di un TIR. I giganteschi rulli di carta che giravano con mille colori, perché lì tutto girava e girava. La Cerutti, la Goss. Creature angeliche o infernali. Quel fruscio che ti restava in testa per ore. L'odore d'inchiostro. La modernità era ingannevole e sempre provvisoria. Quello che era moderno stava diventando modernariato, si chiamava proprio così, aveva controllato nel vocabolario. Forse Giulia non voleva sentirsi modernariato, voleva sentirsi parte del nuovo moderno e non del vecchio. Infatti era sempre più bella, mentre la Nina, che da ragazza la batteva, si stava già spegnendo.

«Li lucidiamo 'sti piatti?» ironizzò alle sue spalle la voce roca di Bruna.

«Sono un po' lento. Ma li pulisco bene, guarda qui... potresti mangiarci sopra.»

Non gli veniva bene l'ironia, la pallida ironia dei montanari, che non ridono mai e poi ridono di una scemenza. I loro antenati mangiavano sempre polenta e una fettina sottile di lardo bruciacchiato sul fuoco. Quando si incontravano, i frammenti antichi del loro passato riaffioravano come in piccoli bagliori di memoria. Succedeva anche a lei, probabilmente. Gli odori così diversi delle loro due cucine, distanti poche centinaia di metri ma diverse. Questa è casa mia, questa è casa tua, senza dubbio.

«Ormai non resta quasi più nessuno delle nostre famiglie, tu sei la mia famiglia, cugino, non te ne dimenticare.»

Bruna non avrebbe mai commentato la sparizione di Giulia, non l'avrebbe criticata, non gli avrebbe fatto domande imbarazzanti: era venuta per dirgli che poteva contare su di lei. Che altro c'era da dire? Niente, solo stupidaggini. Quando era morta la madre, anziana e non proprio in sé, Bruna si era messa a fumare davanti alla salma, che avevano legato con asciugamani per tenerla composta. Giovanni era corso e l'aveva trovata così. Le sigarette le aveva appoggiate accanto alla madre. Gli aveva detto soltanto che di fatto era morta da tanto tempo, e non aveva pianto. Poi aveva preparato il caffè, e dopo il caffè aveva fumato ancora, lanciando verso l'alto potenti nubi di fumo. Tutto era come doveva essere.

«Vai piano con la macchina» le disse, «abbiamo bevuto un po' troppo.»

«Se non si potesse neanche bere un bicchiere, mmm… Tu ricordati d'innaffiare.»

«Certo.»

Non sapendo come ringraziarla l'abbracciò, anche se

lei era ostacolata dalle pentole lavate e asciugate che doveva riportare a casa. Avrebbe dovuto accompagnarla alla macchina ma restò imbambolato sulla porta a guardarla andar via. Sentì il rumore della messa in moto, poi le marce tirate un po' troppo, che una dopo l'altra portarono Bruna lontana, nel cuore della città addormentata.

# 3

Passarono le settimane all'insegna di un motto inflessibile: sapeva quel che sapeva, niente di più, quindi era inutile abbandonarsi a fantasie, gelosie e compagnia bella. Giulia era stata con lui per tanti anni e ora non c'era più. La sua assenza gli diceva: per te è come se fossi morta. Del resto era stata davvero molto male e aveva avuto paura di morire. Aveva superato i brutti momenti della malattia con grande carattere, con il suo yoga e le sue vaghe convinzioni religiose. Sicuramente in quel periodo erano maturate le motivazioni della fuga, perché di questo si trattava. Giulia si era data alla fuga, e ci si dà alla fuga quando non c'è altro da fare. Ti inseguono cani feroci e tu scappi, non importa dove. Era scappata da lui? Dal suo scarso rilievo sociale? Dalla mediocrità della loro esistenza piccolo borghese? Questo poteva sospettarlo ma non saperlo. C'era un segreto e nessun modo per interpretarlo. Lui stesso del resto aveva comportamenti segreti che gli risultavano incomprensibili. Tra questi spiccava l'assurda morte del giardino. Con l'avanzare di un'estate torrida era completamente inaridito. La terra era percorsa da lunghe incrinature desertiche che sembravano cicatrici. I forti cycas, orgoglio di Giulia, erano ormai vuoti e piegati verso la terra. La rara pianta maschile era morta per prima, con il suo fiore sfacciato. Delle rose rampicanti restava lo scheletro secco sul muro. I cespugli di fiori erano macchie informi di polvere. Niente era sopravvissuto, salvo qualche disperata margherita attorno ai cancelli. Forse Giulia soffriva più di lui, avendo causato lei una rottura tanto assurda. Ma forse no, come poteva saperlo? Affidarsi a un investigatore privato? "Ma il senso del ridicolo?" avrebbe detto il suo capo. Aveva conosciuto un investigatore privato, in un bar, e lo vedeva ogni tanto per strada. Un tipo assurdo, che beveva sempre lo stesso amaro disgustoso. In certi momenti ci si espone al ridicolo. Scenate in pubblico, telefonate alle due di notte, appostamenti. Giulia era figlia unica e con la sua famiglia d'origine non aveva grandi rapporti. La Piccola sembrava indifferente, almeno al telefono. Gli aveva detto che la madre aveva bisogno di un po' di pace e lui non aveva cercato di approfondire. Un po' di pace! Se c'era un posto tranquillo in tutta la città era proprio casa loro. Ha bisogno di pace chi è stato in guerra e lì di guerre non ne avevano combattute. Non avevano mai avuto una vera lite. Qualche battibecco per via delle sue collezioni, nient'altro. Cosa avrebbe dovuto dire la moglie di Gino allora? Avevano dovuto comprare una casa più grande perché un uomo di ormai quarantanove anni costruiva trenini e stazioni! Giovanni non era mai stato così invadente. Prima teneva in casa anche la sua collezione di grandi caratteri tipografici in legno, e in effetti occupavano tutto lo sgabuzzino, ma appena aveva aperto il negozio li aveva portati lì, per fare bella figura con i clienti. Anche comprare con i non molti soldi del fine rapporto un negozio di duecento metri quadrati in centro non era stato facile. È un mondo insidioso quello delle aste giudiziarie, un mercato di ricettatori e di banche, avevano tutti una sgradevole aria malavitosa. Ma grazie all'aiuto provvidenziale di suo zio era riuscito a comprare proprio il negozio che voleva, non era successo per caso. Qualche talento doveva averlo anche lui. Anche se non era laureato e non parlava le lingue.

Non dormiva più nella sua camera ma in quella della figlia, dove c'era un letto comodo a una piazza e mezza. Così gli pesava di meno tornare a casa la sera. Per fortuna aveva molto lavoro in quel periodo, dalle tesi ai dépliant pubblicitari, e quando lavorava riusciva a dominare il tempo. Componeva, impaginava, stampava, rilegava, impacchettava, spediva. Di ogni passaggio conservava traccia nella sua agenda, dopo aver controllato almeno due volte. Vigilava con cura sulla sua capacità di mantenere le buone abitudini, quindi era più preciso e scrupoloso del solito, ma sentiva che dentro di lui stava avvenendo un grande cambiamento e non gli piaceva affatto. Come certe malattie una volta contratte non te ne liberi più, e non puoi far altro che diffonderle. Il nuovo secolo si apriva davanti a lui pieno di imperfezioni e di errori. Dagli errori ormai così frequenti anche nei titoli di giornale a quelle facce consunte e infelici dei pluridivorziati e promiscui d'ogni genere. Gli errori ti consumano, non arricchiscono affatto. Ricordava sempre il cartello che troneggiava sui tavoli luminosi della grande tipografia: UN'ASINO. Era una sorta di quadro composto con caratteri di legno alti un palmo. L'apostrofo era rosso. In quel momento l'asino doveva essere lui. Anche se a dire il vero, avendo frequentato a lungo un asino in montagna, poteva dire che era molto più intelligente di un cavallo e anche di qualche cristiano. Quando avevano chiuso la vecchia tipografia era riuscito a impossessarsi del quadro con la scritta e l'aveva appeso nel suo negozio, ma non lo notava nessuno. L'editoria digitale gli sembrava soltanto una grande illusione, una copia artefatta, una fotocopia pronta a svanire, non produceva più veri libri. Meravigliosi volumi secolari erano ancora perfettamente leggibili, intere collane di libracci recenti dopo pochi anni facevano schifo, diventavano scuri e le pagine si scollavano. Anche se in fondo lui conosceva solo in minima parte il contenuto di tutti quei libri gli faceva piacere appartenere all'antica famiglia della carta stampata. Uno dei pochi che aveva letto era il *Don Chisciotte della Mancia* e in fondo quello era il destino del tipografo: vivere in un mondo che non c'è più. Un sindacalista non gli aveva forse detto: "Siete dei morti che camminano"? Ma perché tutti davano per scontato che il nuovo millennio sarebbe stato per forza migliore? Quando le vostre memorie elettroniche svaporeranno come nebbia al sole ne riparleremo!

Gli sarebbe piaciuto riuscire a esternare almeno qualcuno dei suoi pensieri e delle sue rabbie ma la morsa della gentilezza glielo impediva e aumentava la sua frustrazione.

Bruna e Gino come due custodi lo tenevano amichevolmente d'occhio e gli organizzavano gite e uscite serali. Lo portarono anche a una partita di basket ma si annoiò moltissimo. Per via dell'altezza anche a scuola volevano che giocasse a basket. Sua cugina ci aveva giocato per diversi anni e quando le capitava guardava volentieri una partita. Finita l'infanzia restavano dei giochi per gli adulti, più da tifosi che da protagonisti, ma Giovanni di giocare non aveva più voglia. Anche i giochi più nobili, come gli scacchi, lo annoiavano. Gli piaceva soltanto il biliardo. Un giovedì sera Gino lo portò alle qualificazioni nazionali in un grande bar e vide giocare un genio della stecca che suscitò la sua ammirazione. Gino era abbastanza sfacciato in questi casi e lo spinse davanti al campione alla fine della gloriosa partita.

«Complimenti» riuscì a dirgli stringendogli la mano. E con l'espressione più compunta si sentì in dovere di aggiungere: «Lei è un artista».

Il campione, leggermente panzuto, apprezzò il complimento e lo ringraziò stringendogli ancora la mano.

«L'hai colpito» commentò Gino uscendo dal locale.

«Gli ho solo detto la verità, mai visto niente del genere.»

Camminarono per un po' dalle parti della vecchia azienda di Giovanni e questo non gli piacque.

«Ti ricordi quando venivamo a mangiare qui?» chiese Gino.

«Sì... faceva schifo.»

Non gli piaceva parlare di quel passato, Gino doveva saperlo. E neanche parlare di Giulia gli piaceva, ma ogni tanto Gino ci provava.

«Ma possibile che non si sappia neanche dove abita?»

«È possibile. Siamo più di un milione.»

«Nessuno che la incontri, possibile? La Nina lavora a un chilometro dalla sua azienda, andavano sempre a guardare le stesse maledette vetrine.»

«E se la incontrasse cosa cambierebbe?»

«Capirebbe cosa diavolo sta succedendo, le donne le capiscono subito queste cose. E se tu andassi in Comune? Avrà pure un indirizzo! Deve avercelo per forza se lì da te non arriva più posta. Vuoi che provi io?»

«Ti prego, Gino, non fare niente, grazie ma non fare niente.»

Giovanni concluse la frase con un gesto antico, tagliando l'aria con la mano.

Gino era molto affettuoso ma bisognava fermarlo perché

poteva esagerare. Il momento più difficile era l'invito a cena a casa sua, con la Nina che ogni volta preparava per dieci. Giovanni non temeva tanto i battibecchi tra l'amico e la Nina, e neppure la loro conversazione, ma aspettava con timore il momento fatidico dell'apertura della porta rossa. La sala giochi di Gino. Lì dentro costruiva treni e saldava binari, erigeva palazzi di compensato e alberi finti, ponti e passaggi a livello controllati da un computer. La visita nella sala giochi non durava mai meno di due ore. A un certo punto la Nina serviva lì il secondo amaro con ghiaccio, indispensabile per digerire tutto il ben di Dio che avevano mangiato. Gino giocava con grande serietà, come tutti i bambini. Gli faceva simpatia, quell'ostinato desiderio d'infanzia che vedeva nel vecchio amico, ma i trenini lo annoiavano parecchio e non vedeva l'ora di tornarsene a casa. Non voleva sapere niente sui diversi modelli di locomotive, sui binari e su tutto il resto. Nella sala giochi Giovanni non diceva una parola e a stento riusciva a trattenere gli sbadigli. Questo dover uscire quasi ogni sera cominciava a pesargli. Poteva negarsi ma all'ultimo momento ringraziava e diceva sì, forse per non restare solo.

A Ferragosto chiuse il negozio per dieci giorni e tornò al suo paese con Bruna e il marito. Rivide qualche lontano parente e andò al cimitero, dove trovò con sua grande sorpresa tutte le tombe dei suoi cari adornate da bellissimi fiori. Non erano i soliti crisantemi, ma fiori rari dei quali non conosceva il nome. Solo Giulia poteva averli portati.

E se invece li avesse portati la cugina di sua madre, che sapeva della sua visita? Ma erano fiori troppo belli, lei avrebbe portato qualcosa di più semplice. Certo, poteva averla consigliata la fioraia. Inoltre a Giulia non piacevano affatto i cimiteri, arricciava sempre il naso quando lui le proponeva di andarci. La verità gli sembrò sfuggente e impossibile. Continuò a pensare a quei fiori tutto il giorno, ma non disse niente a Bruna e al marito che l'aspettavano per la solita passeggiata. Salendo verso il bosco guardò la sua casetta, giù in basso, e il piccolo paese vicino, attorno al campanile. Chissà come sarebbe stata la sua vita tra quelle montagne. Non poteva saperlo, ma forse sarebbe stata uguale a quella degli antenati che aveva salutato al cimitero. Bruna sembrava rinata, l'altitudine le giovava e la sua espressione era più distesa del solito. Fumava anche qualche sigaretta di meno.

Giunti al belvedere ammirarono a lungo il volo di una magnifica aquila reale, che con le grandi ali immobili ruotava sui suoi territori. Giulia conosceva i nomi di tutti i fiori e degli alberi, ora il mondo gli sembrava anonimo, come fotografie senza la didascalia sotto. Quei fiori al cimitero lei avrebbe saputo di sicuro chiamarli per nome. Li aveva portati lei? Voleva dirgli qualcosa attraverso quei fiori? Mentre Bruna e il marito si punzecchiavano, lui pensava a Giulia e nessuno se ne accorgeva. Giulia aveva un bellissimo seno, perfetto, e anche quello gli mancava spesso, soprattutto di notte quando si svegliava da solo nel grande letto che avevano comprato insieme per la loro casa della pensione. Lei metteva sempre fiori alle finestre, d'estate, e quella casetta sembrava quasi un cartone animato tanto era colorata. E progettava di piantare ancora, fiori e alberi, e una piccola serra per l'inverno, in parte già costruita. Ora era una casetta qualsiasi, una seconda casa come le altre, con l'erba attorno da tagliare e gli scheletri di fiori abbandonati. Aveva ucciso tutti i suoi fiori, in città e in montagna, nessuno escluso, come obbedendo a un assurdo ordine di sterminio. Anche lassù lei continuava a lasciarlo ogni giorno, e ogni giorno lui si stupiva di essere solo.

Sulla via del ritorno Aldo, il marito di Bruna, cominciò a elencare i ristoranti che non potevano mancare nella loro vacanza, decantando le specialità di ognuno, e Bruna lo prese in giro dando del mangione a lui e a sua figlia.

«Sono nati con la forchetta in mano.»

Aldo non si diede per vinto e cominciò a parlare di una trasmissione di cucina che apprezzava molto, diretta da un cuoco famoso che Giovanni trovava insopportabile, come quasi tutti i cuochi della televisione.

«Scusa Aldo» gli disse all'improvviso con un tono secco per lui assolutamente insolito. «Sai cosa penso? Che i cuochi dovrebbero starsene in cucina, come i tipografi stanno nella loro tipografia. Mi hanno proprio rotto i coglioni! A pranzo si parla della cena, a cena del cuoco in tivù, ma che palle!»

La cugina fu entusiasta della sua osservazione.

«Bravo Giovanni, questo è ragionare. Non si può accendere la tivù che c'è qualcuno davanti ai fornelli e questo fessacchiotto si scrive le ricette. Avete una forchetta nella testa!»

Bruna sembrava capitata per caso nella sua famiglia. Non si scambiava con il marito nessun gesto affettuoso: mai una carezza, un nomignolo, una vezzosità. Più che marito e moglie sembravano due vecchi compagni di banco. Si punzecchiavano di continuo, lei sulle abitudini alimentari e sugli interessi calcistici, lui ironizzando sulle gambe lunghe e sui tacchi che portava alti anche facendo la spesa in paese. Difficile giudicare una storia d'amore, e forse quella di sua cugina lo era, a suo modo.

Assecondando i desideri di Aldo, che dopo la sfuriata sui cuochi aveva messo il broncio, mangiarono fuori quasi tutte le sere e non parlarono mai di Giulia, anche se la pensarono tutti e tre quando in una trattoria offrirono come dolce la sua torta preferita. Ci fu un attimo di silenzio di fronte alla cameriera e alla fine ordinarono una grappa. Dopo cena andarono a passeggiare fuori dal paese, approfittando della luce lunare che faceva brillare la piccola strada bianca che a un certo punto lasciava ammirare le montagne. L'afa della città era lontana, l'aria era fresca e profumata, si erano tutti messi un pullover. Mentre si godeva la passeggiata silenziosa e il fresco Giovanni pensò ancora a Giulia, perché lei aveva sempre freddo e a volte anche in piena estate, quando erano in montagna, gli si stringeva addosso e la sentiva tremare. Chissà dove sarà adesso, si chiese. E la immaginò al mare, leggermente abbronzata perché la sua pelle non si abbronzava molto, dopo giorni di esposizione al sole prendeva appena un po' di rossore. "Secondo me si può definire abbronzatura" diceva lei quando dopo la doccia si guardava allo specchio. Le sarebbe piaciuto diventare come le sue amiche, tutte molto più scure. Ricordò pure la sera di tanti anni prima, quando finalmente era riuscito a guardarla sotto il costume. Era notte anche allora, e con la poca luce della luna il chiarore del suo seno diceva che sì, si poteva definire abbronzata, e il disegno del costume sulla pelle lo dimostrava. Si sentì terribilmente solo, all'improvviso, e si rinchiuse nel suo mutismo. Bruna e Aldo avevano ripreso a punzecchiarsi e gli venne voglia di andarsene. Senza dare spiegazioni si mise a correre verso casa, voltandosi solo un istante per sorridere come se scherzasse.

«Matto!» gli gridò dietro la cugina.

Non voleva più ascoltarli. Aveva bisogno di silenzio, le persone che parlavano lo infastidivano, mentre correre da solo gli dava sollievo, non correva da troppo tempo. Che liberazione lasciar andare le sue gambe in discesa, com'era bello sentire l'aria fresca sul viso. Corse fino a casa e andò a letto senza aspettarli per i saluti. Dieci minuti di corsa e li aveva già dimenticati.

Tornarono in città la settimana dopo Ferragosto e ripresero tutti a lavorare. Giovanni ricevette subito una chiamata dal vecchio parroco del paese, che aveva incontrato per strada pochi giorni prima, e accettò l'incarico di stampare i manifesti funebri per l'intera parrocchia. Ne avevano parlato vagamente ma un vecchietto era morto subito dopo il rientro e fu questo il suo primo lavoro. Gli sembrava stranissimo scrivere il nome del suo paese e quello del vecchietto, che conosceva appena di vista. Aveva vissuto quasi un secolo il signor Gelsomino. Probabilmente non se ne era mai andato dal borgo nativo, dove infatti era morto. La scritta sotto la fotografia, ricevuta per posta elettronica dal prete, era abbastanza sobria: "I familiari e gli amici lo ricordano con grande affetto e sentiranno per sempre la sua mancanza". Forse non usavano più quelle frasi fatte che si sprecavano in passato, padre esemplare, madre amorevole, grande lavoratore, onesto, generoso. Il suo Gelsomino non vantava qualità e talenti, semplicemente era esistito a lungo in quel paesino tra le montagne, esattamente novantun anni. Il lavoro andava fatto subito; appena ebbe finito di stampare le poche copie richieste le arrotolò e le infilò in un tubo di cartone per il corriere. Non avrebbe guadagnato granché da quell'incarico ma ne fu contento e lo mise di buon umore. Anche tornando a casa continuava a vedere la bella faccia serena del signor Gelsomino. Il primo lavoro dopo le ferie gli portò fortuna e ne arrivarono altri più sostanziosi: una serie di grandi manifesti pubblicitari e il catalogo di una mostra antiquaria. Si occupava con grande attenzione di tutti i suoi lavori, e per due volte di fila si negò al solito pranzo con Gino, preferendo sbrigarsi con un panino caldo al bar accanto. Il pensiero di Giulia si infiltrava nella sua mente soprattutto nei temuti momenti di pausa. Sorseggiando la sua birra, seduto davanti alla vetrina, la rivide ancora una volta, mentre passava sul marciapiede di fronte diretta verso la piazza. Poi la donna cominciò ad affrettare il passo e raggiunse un autobus quasi correndo. Non era lei, ormai lo sapeva, così con la scusa di un secondo panino andò a sedersi al bancone e parlò un po' del tempo e del traffico con la barista.

Tornò al lavoro sentendosi a brandelli, tagliato da un bisturi implacabile lungo tutto il corpo. Che essendo così inutilmente lungo rischiava addirittura di aprirsi come in un cartone animato. Il suo mondo stava morendo nell'indifferenza generale, e questo era normale: era iniziata l'epoca degli errori. Un'asino con l'apostrofo aveva vinto. Gli restava soltanto Giulia, e non era poco. Una passeggiata insieme al tramonto, lassù tra le montagne quando gli ultimi raggi del sole sembravano delle spade. "Giulia dov'è?" gli chiedevano tutti, ma lui non lo sapeva dov'era. Non sapeva niente. La figlia al telefono parlava di un periodo e in fondo se ne infischiava, aveva il suo ragazzo ed era a posto. Secondo lei era normale, sparire così senza spiegazioni, "cose che succedono" aveva detto. C'era anche del rancore, in lui, e non poteva farci niente. Giovanni non conosceva i segreti degli yogi. E quel pomeriggio ebbe una strana conclusione. Riaprì la pagina elettronica del manifesto funerario e ci mise nome e cognome di sua moglie. Ne stampò una copia e la guardò a lungo sentendosi un mostro, assassino di fiori e ora anche di Giulia. Senza rendersi conto che un cliente lo stava aspettando al bancone. Quando lo vide stracciò subito il manifesto e lo lanciò nel secchio della carta.

«Venuto male!» si sentì in dovere di spiegare al giovane cliente. «In cosa posso servirla?»

# 4

Dopo parecchi pranzi annullati Gino fece irruzione in tipografia verso la metà di settembre. Trovò l'amico impegnatissimo e lo aspettò impaziente quasi dieci minuti.

«Sei venuto a vedere se è vero che lavoro? Lavoro. Non bisogna farsi scappare niente, neanche i menù dei ristoranti.»

«Non sono venuto a controllare.»

«Ah no? Perché quella faccia?»

Nella faccia leggermente arrossata di Gino si poteva leggere in anticipo come in uno spartito musicale.

«Perché forse ho qualche notizia.»

«Signore... sentiamo, dài, è una scemenza.»

Silenzio. Labbra inarcate di Gino: faccia piena di notizie.

«La Nina.»

Cominciò proprio così, con il punto. A cui seguì un piccolo silenzio.

«La Nina l'ha vista. Giulia. Dalle parti di corso Buenos Aires.»

«L'ha vista… e ci ha parlato?»

«Sì sì.»

«E cosa si sono dette?»

«Niente.»

«Ma come niente?»

«Che stava meglio, che aveva avuto un brutto periodo. Che presto si sarebbe fatta sentire. Hanno detto qualcosa dei figli in giro per il mondo, tutto qui. Aveva la borsa da ginnastica, mi ha detto la Nina. Era quasi ora di cena.»

«Tornava dalla palestra.»

«Be', te lo volevo dire di persona.»

«Certo, hai fatto bene. Grazie.»

«Io penso che la devi vedere.»

«Ma se non vuole.»

«Per farsi un giudizio su una persona è necessario che la incontri, che la fissi negli occhi. Così capisci tutto.»

Giovanni lo guardò dubbioso, pronto a frenare qualunque iniziativa avesse in mente l'amico.

«Anche la Nina ha gli occhi, lei come l'ha trovata?»

«Normale, senza trucco però, ma forse perché era stata in palestra. Ma sei tu quello che la deve guardare. Io lo capisco subito se la Nina dice delle balle e lo stesso succede anche a te. Devi sapere qualcosa, guarda che rischio di finire io al manicomio per questa storia, figuriamoci tu.»

«I manicomi non ci sono più, stai tranquillo.»

«Uno deve sapere la verità, non si vive di forse.»

Gino aveva un piano in mente, che si concretizzò la sera stessa, nonostante le resistenze di Giovanni. Usciti dal lavoro andarono con la macchina esattamente dove la Nina aveva incontrato Giulia, e si appostarono in una viuzza da dove potevano assistere al passeggio sui marciapiedi del grande corso. Alcuni andavano trascinando le valigie verso la stazione, altri ne venivano, ma i più si affrettavano verso la cena con le borse di una spesa tardiva.

«Gino, io ti ringrazio per la tua gentilezza, ma mi sembra proprio una scemenza stare piantati in mezzo a una strada senza nemmeno essere sicuri…»

«La Nina ha detto che l'ha vista entrare qui. Poi quando è tornata indietro per scoprire dove andava non l'ha vista più, quindi vuol dire che è entrata in uno di questi portoni.»

Dopo un'ora di attesa scesero dalla macchina e mangiarono qualcosa in un bar all'angolo. Alla fine ordinarono gli amari e appena fuori andarono avanti e indietro nella strada, per sgranchirsi le gambe e per dare un'occhiata ai campanelli. Il nome di Giulia non c'era. Medici, dentisti, psicologi, podologi, nient'altro.

«Ma se anche la incontrassimo magari le verrebbe un accidente a vedermi qui che l'aspetto. È proprio una scemenza.»

«Quando la vediamo metto in moto la macchina come se fossimo qui per caso. Che paura vuoi che abbia?»

«Be', potrebbe sembrare minaccioso…»

«Minaccioso tu? Non farmi ridere.»

Camminarono per circa un'ora, poi passarono un'altra ora in macchina. Giovanni sbuffava e dava segni di impazienza, l'amico sembrava più convinto. Davanti a loro transitavano pochi autobus e pochi passanti, qualcuno a pianoterra guardava la televisione e da una finestra si sentivano le voci di un dibattito politico. Quando fu quasi mezzanotte i due investigatori decisero di desistere e tornare a casa.

«Ma certo» disse Gino guidando sportivamente nelle strade quasi deserte. «Magari stasera era stanca ed è andata a dormire presto.»

«Abbiamo fatto una stupidaggine, siamo due cretini. Non è fermandole per strada che si capiscono le persone.»

«E allora come?»

«Bisogna aspettare, cazzo!» Poche volte era stato così brusco con Gino e gli dispiacque, ma riuscì a mitigare solo in parte. «Non voglio più tornarci qui. Hai buttato via una sera inutilmente, so che l'hai fatto per me e ti ringrazio, ma smettiamola con questa storia dell'appostamento, è umiliante.»

Giunto a casa si scaldò un po' di latte e mangiò qualche biscotto. Doveva decidersi a pulire il giardino, anche se cercava di non guardarlo sapeva di essere circondato da un orrendo cimitero di piante. Salì in camera di Giulia, chiamava così quella che era stata anche la sua camera, e senza accendere la luce prese uno dei libri che teneva nello scaffale. Ne aveva almeno un centinaio ma non volle scegliere, ne prese uno a caso. Forse leggere i libri che lei aveva amato poteva spiegargli qualcosa. Di sicuro era meglio che aspettare per ore in una strada sconosciuta.

Il volume era enorme e grande fu la sua sorpresa quando scoprì che quello era soltanto il primo dei due tomi di un famoso romanzo russo, *Anna Karenina*. Cominciò a leggere, all'inizio molto lentamente. "Tutte le famiglie felici si assomigliano tra loro, ogni famiglia infelice è infelice a modo suo." Poi via via e senza rendersene conto riuscì a leggere sempre più velocemente. Se lo aspettava noioso e difficile un libro così famoso ma in fondo si leggeva come *I promessi sposi* o il *Don Chisciotte*, gli unici romanzi che aveva letto per intero. I protagonisti erano aristocratici circondati da servitori ma non erano felici come avrebbero dovuto essere. Anche in quella storia lontana i pensieri si infiltravano nei personaggi senza che ne fossero del tutto consapevoli. Lesse tutta la notte e il giorno dopo andò al lavoro più tardi del solito. Per fortuna non aveva appuntamenti e se qualche cliente era passato pazienza. La testa gli ronzava e non riusciva a coordinarsi. Sul 14 si era sentito confuso, c'erano persone che parlavano e le loro parole lo ferivano. Anche il rumore dei freni l'aveva fatto trasalire. Quando suonò il telefono ebbe addirittura un soprassalto. Volevano soltanto vendergli qualcosa e mise giù senza rispondere. Cercò di mettere ordine nei disordinatissimi testi di un dépliant ma senza neppure rendersene conto si addormentò appoggiando la testa sul tavolo. Gli era successo un paio di volte quando frequentava la scuola elementare. Si svegliò agitatissimo, doveva aver fatto brutti sogni. Aveva sognato *Anna Karenina*, come oggetto più che per il contenuto. Il libro aveva quasi vent'anni, la carta era un po' ingiallita ma era di discreta qualità e i punti di refe e la colla reggevano bene. Peccato per il carattere troppo piccolo, un banale Times corpo otto che si faceva fatica a leggere. Non riusciva a collocare esattamente il romanzo di Cervantes, nel Cinquecento o nel Seicento, ma forse per questo preferiva il *Don Chisciotte*, certamente più proletario come ambientazione. Nel romanzo di Tolstoj erano tutti ricchissimi, anche se qualcuno riusciva a indebitarsi comunque. Difficile immedesimarsi con un personaggio che possiede tenute grandi come l'Umbria. Si era portato dietro il libro e scoprì che ne aveva letto circa settanta pagine: un'enormità. Aveva usato un fazzoletto di carta per tenere il segno e gli sembrò poco dignitoso per un libro di quella classe così lo sostituì con una cartolina inviata anni prima da Venezia: "Un pensiero a Giovannino, sua Giulia". Lei non era alta come lui e per questo da sempre, quando erano soli o tra amici, lo chiamava Giovannino, per sdrammatizzare questa differenza e per sottolineare i suoi modi gentili, che non avevano bisogno di così tanti centimetri. Lavorò al noioso dépliant di computer e telefoni continuando a guardare l'ipotetico ritratto di Anna Karenina sulla copertina. Ecco una cosa che non avrebbe mai fatto. Un libro di classe non aveva bisogno di nessuna illustrazione. Restavano da scegliere caratteri e colore della copertina. Un piccolo segno grafico in basso, e in alto titolo e autore. Volume primo.

Continuò a ripetere tra sé: nome e titolo, nome e titolo, nient'altro. E così si trovò a intraprendere una delle imprese più incomprensibili della sua vita. Messo via il dépliant si sedette al computer e cominciò a copiare *Anna Karenina*. Voleva leggerlo ricomponendolo tutto con il suo carattere preferito, un classico Bodoni corpo undici, imitando l'editore più elegante della città. Poi l'avrebbe stampato con la cura che meritava e rilegato come si doveva. Avrebbe avuto una sua copia personale. E forse un giorno l'avrebbe regalata a sua moglie, dicendole: L'ho fatta solo per te. L'avrebbe anche scritto a mano, per lei, se avesse avuto una calligrafia adeguata. Doveva esserci un grado di parentela tra un tipografo e un antico amanuense, li sentiva come fratelli mentre pigiava sui tasti. Sapeva di non essere un vero compositore ma aveva imparato a scrivere veloce e non commetteva molti errori, nomi di persone e luoghi a parte. Il russo aveva segni che doveva trovare nella tastiera nascosta del computer ma presto si sentì a suo agio anche con quegli strani nomi. Gli piaceva andare avanti, sempre più avanti, era bello vedere le pagine formarsi, una, due, tre, e all'improvviso venti, trenta, quaranta…

Tornando a casa con l'ultimo 14 della sera, solo con una signora in impermeabile fucsia, continuava a sentirsi pieno di parole e di nomi. Ma subito si infiltrò una parola indesiderata con la quale doveva fare i conti: la gelosia. Istintivamente sapeva che non doveva provarla in alcun modo, l'avvertiva come un pericolo mortale, ma proprio non poteva evitarla. La signora in impermeabile scese alla sua fermata e si trovarono ad attraversare insieme, così si salutarono con un sorriso.

Incontrò il solito signore con il cane e sorrise anche a lui. Ma dentro di sé continuava a sentirsi inquieto e la casa sempre più vicina gli causava un vuoto nello stomaco che gli toglieva il respiro. Neanche le piogge d'autunno riuscivano a risvegliare un po' di verde nel suo giardino, sempre identico attorno ai due lati della casa, un secco che non aveva cuore di tagliare essendo stato lui la causa di tanto scempio. I cadaveri di piante grasse ricadevano su se stessi, ripiegandosi in forme grottesche. Poteva chiudersi in casa ma si sentiva ugualmente assediato dal deserto.

Anche la gelosia trasformava il cuore in deserto. Come nel romanzo, Giulia era apparsa nella sua vita dopo lunghe attese. Lui era ancora giovanissimo ma sua madre era dispiaciuta di non saperlo accasato. Poi c'era stata quella festa in centro, e qualcuno l'aveva invitato. Nella bella casa di un farmacista, dove c'era tutta la musica che si poteva desiderare diffusa da un impianto fantastico. La figlia del farmacista, che approfittava dell'assenza dei genitori, si dava un sacco di arie e aumentava il volume sempre di più, tanto che a un certo punto era apparsa la polizia chiamata da qualche vicino. Giulia la si notava soltanto a una seconda occhiata. Frequentava un liceo lontano e pochi la conoscevano. Lo sguardo di un giovane uomo desideroso di incontrare ragazze è molto particolare. Ha criteri imperscrutabili. Ogni dettaglio doveva rientrare in una sorta di puzzle ma nello stesso tempo doveva stupirlo. Giulia era esattamente la ragazza che aspettava e nello stesso tempo era nuovissima. Lui non andava già più a scuola ma si era diplomato ragioniere insieme a Gino e aveva cominciato subito a lavorare in tipografia, dove aveva già passato quasi tutti i pomeriggi quando era studente. I suoi coetanei non avevano soldi e lui invece sì. Fumava qualche sigaretta, allora, anche se non gli piaceva. Solo per darsi un tono. E non rinunciava mai alla cravatta, neppure per andare dal barbiere. Avevano parlato a lungo, a volte interrompendosi tanto era urgente quel che dovevano dirsi. Neanche il giorno dopo avrebbe saputo dire di cosa avevano parlato ma finalmente aveva incontrato una possibile fidanzata. Ne aveva addirittura discusso al telefono con sua madre, che sarebbe morta pochi anni dopo, felice di vederlo accasato e padre di una bella bambina. Qualche giorno dopo erano andati al cinema insieme. Si erano frequentati per due mesi prima di riuscire a sfiorarsi. Poi finalmente lui si era incurvato verso di lei, alla fermata del tram in via Manzoni, e si erano baciati provando una violenta scossa elettrica, cosa che avevano trovato del tutto normale. Poco prima Giulia gli aveva confessato che le piacevano gli uomini alti, e lui si era sentito autorizzato a toccarla. Lei non aveva ancora finito il liceo e già si amavano. Forse persone che non stanno tanto bene insieme hanno più ambizioni nella vita, pensò, forse questo loro vivere bene insieme li aveva limitati nelle relazioni sociali. Non avevano guadagnato più del necessario ma avevano mandato la Piccola all'università e all'estero, senza mai farle mancare niente, neanche il superfluo. Urlava come un'aquila, nei primi mesi di vita, e non si riusciva a calmarla. Certe notti erano addirittura scioccati dagli acuti che straziavano il silenzio della casa e della strada. La Piccola non aveva un buon carattere, doveva ammetterlo. Non la si poteva definire affettuosa, e infatti non lo chiamava mai e lo liquidava in fretta se chiamava lui. "È un periodo", gli aveva detto. Perché ci sono periodi in cui una persona sente il bisogno di sparire e quindi va tutto bene. La sua famiglia era svanita nel nulla, non esisteva più. La famiglia è una cosa transitoria, come il lavoro, del resto come l'esistenza stessa. Tutto è provvisorio ma quando lo vivi ogni momento sembra eterno.

La casa gli risultava sempre più estranea, se non addirittura ostile, circondata com'era dal giardino morto dove il secco estivo marciva. Eppure ogni angolo di quella casa era stato felice per molti e molti anni. Il tempo che impiega una bambina a diventare una giovane donna. Coltivavano il sogno della vecchiaia in montagna. I lavori che avrebbero reso la vecchia casa perfetta, immersi nei boschi e davanti alle montagne, l'aria buona, il paese vicino, l'autostrada, l'ospedale, il lago. Avevano pensato a tutto. Mancavano molti anni alla pensione di Giulia e avevano già organizzato il dopo. Si consideravano eterni, immutabili. Le ore di dolore che aveva condiviso con lei, la loro totale intimità. Sempre nudi in casa. E poi arriva un Vronskij e la porta via, un conte qualsiasi, uno in carriera dalla nascita, mica uno che sapeva manovrare una Goss da duecentomila copie ma anche aggiustare una vecchia linotype, mettersi davanti a quella enorme tastiera che ti sembrava di suonare un organo a canne! Si rendeva conto lui stesso di divagare ma quell'uomo giovane, elegante, con bella dentatura bianca era apparso e non se ne sarebbe andato per molto tempo. Era ancora in giacca e cravatta così accese la luce nell'ingresso e si guardò a lungo nello specchio. Capelli ancora neri, tonico, magro. Vronskij era un nano accanto a lui, un tracagnotto.

Ma il maledetto riapparve, in varie forme, attualizzato, con una grande macchina e una bella casa in centro ereditata dalla mamma. Vizioso, moralmente macchiato, pieno di malattie infettive e psichiche, un uomo da niente, che si divertiva con le signore deluse dai loro modesti mariti. Vronskij aveva tutto il tempo per seguire Anna, per apparirle davanti all'improvviso dicendole qualcosa di carino: "Lo sapete, sono in viaggio per essere dove siete voi, non posso fare altrimenti...". Certo, niente a che vedere con il mediocre marito di Anna, con quelle brutte orecchie che cominciavano a disgustarla. Non riusciva a immaginare Giulia con Vronskij ma temeva il peggio. La gelosia teme il peggio e di solito lo annuncia. Giulia aveva avuto molta paura e per tanto tempo, era la paura la causa di tutto. Di altri interventi, di altre notti con le flebo, le infermiere, il campanello. Aver attraversato quel periodo terribile accanto a lei lo aveva rinforzato, riusciva a tollerare meglio il disagio che sentiva. Forse Giulia aveva avuto bisogno di cambiare totalmente vita, dimenticare quel terribile passato che non passava mai, ricominciare un'altra vita adesso che era ancora giovane. Così le era capitato un Vronskij, un dirigente dell'azienda, forse il suo capo che non poteva fare a meno di lei, un maledetto vecchio che si dava un sacco di arie ma era lì, sull'orlo della sua maledetta pensione dorata, maledetto, maledetto Vronskij! Però il profumo l'aveva portato con sé, e ogni volta che lo usava doveva pensarlo per forza. Per fortuna le aveva regalato quel profumo. Con questi confusi pensieri in testa si buttò sul divano e riuscì a dormire qualche ora. Ma alle sette era già sul 14, e fuggiva da casa sentendosi sempre più strano. Giunto alla sua fermata si alzò troppo in fretta ed ebbe un forte giramento di testa.

«Si sente bene?» gli chiese una signora con gli occhiali.

«Grazie signora… molto gentile, grazie. Succede a noi spilungoni.»

E con il suo miglior sorriso scese dal tram ostentando il ritrovato benessere che però non tornava. Adesso sentiva anche dei fastidiosi fischi nelle orecchie. C'era un giornale piegato su un tavolo e uno dei titoli diceva: SONO VEGETA-

RIANO DA QUANDO HO TREDICI ANNI. Era la confessione di un cretinetti famoso che non conosceva ma il verbo strideva come la frenata sui binari. Avevi tredici anni, cretinetti, non li hai più!

Sbrigata in fretta l'ordinaria amministrazione, tanto nessuno si sarebbe accorto di errori e svarioni, si rimise alla tastiera e continuò a copiare *Anna Karenina*, facendo ogni tanto i conti con suoi fantasmi. Immaginava sua moglie con un altro uomo, li vedeva a cena, o a passeggio lungo una strada insieme a sconosciuti, tutti sorridenti, allegri, sfaccendati. Queste immagini di vita quotidiana riusciva a cancellarle, ma non poteva cancellare i loro vergognosi incontri sessuali, a cui assisteva da vicinissimo con tutti i dettagli perfettamente a fuoco come in una stampa di qualità, compresa la piccola macchia di un neo in quel particolare punto. No, quelle fotografie spietate non le poteva proprio cancellare. L'odiato Vronskij svolgeva un effetto paradossale: da una parte innescava le visioni più sgradevoli ma dall'altra le curava, portandolo di nuovo in una storia che non era la sua. Quando sollevò la testa era buio, aveva copiato decine di pagine. Un'enormità, considerando che ogni frase la leggeva due volte, una copiando dal cartaceo un'altra in Bodoni, correggendo gli errori. Scoprì che non voleva tornare a casa. Lo prese l'agitazione e uscì senza spegnere la luce e mettendo un patetico TORNO SUBITO sulla porta. Gli era venuta un'idea. Erano le sei e mezzo ma sembrava più tardi così camminava a lunghe falcate. Comprò lenzuola e cuscino in un piccolo negozio di tessuti e anche qualcosa da mangiare in un minimarket. Tornando indietro con la grossa busta rispose da lontano al saluto della barista, che fumava una sigaretta davanti al bar.

Non si vergognava soltanto della sua ridicola gentilezza ma soprattutto dei suoi acquisti, perché aveva deciso di dormire nel negozio. Nello stanzino dietro al bagno c'era un vecchio divano che per fortuna non aveva buttato. Veniva addirittura dalla casa di montagna, e prima ancora era stato di sua madre. Più che un divano era un letto con due comodi cuscini dietro, qualche volta ci aveva dormito un'oretta dopo pranzo, trovandolo abbastanza comodo. Adesso aveva tutto! Provolone piccante, salame piccante, pomodori secchi piccanti, cetrioli sott'aceto, biscotti, vino bianco friulano. Accese la radio, sintonizzata a caso su un canale musicale, e aprì subito il vino. Mentre lo assaggiava gli venne in mente la sua casa, buia e deserta, che forse lo aspettava e non riusciva a capire perché tutti se n'erano andati. Per cancellare i cattivi pensieri rilesse sullo schermo le ultime due pagine che aveva copiato e trovò soltanto due errori. Non era un vero tastierista ma se la cavava discretamente. Era abbastanza preciso e metodico ma non veloce. Scriveva come leggeva, cioè lentamente, ma quel che leggeva attraversava anche le sue dita e il suo corpo, la sua schiena, i suoi polsi indolenziti. Voleva proprio portarli a termine quei due tomi, Giulia sarebbe trasalita vedendoli.

Li stava facendo per lei. Decise di assaggiare il salame ma fetta dopo fetta si ritrovò a cenare davanti alla tastiera. Le molliche di pane cadevano ovunque. La porta di vetro era opaca ma non voleva essere visto da qualche ritardatario, così tirò giù la saracinesca e spense le luci principali. Lasciò accesa soltanto una lampada pieghevole sulla scrivania e finì di mangiare con calma. Gradì tutto, anche il vino: sorseggiò l'ultimo bicchiere attorno alle undici, quando aveva composto altre quindici pagine. Pensò che copiava soprattutto per riuscire a leggere, esercizio non naturale in lui. Il vecchio proto del suo reparto diceva che gli errori si trovano solo se non leggi. È il pubblico che legge, loro si occupavano della confezione. Uno come Vronskij era un cavallo di lusso, buono soltanto per la riproduzione. Le donne sono attratte dagli uomini vanesi perché li trovano sempre disponibili, quelli non hanno niente da fare. Se devi copiare due tomi come *Anna Karenina* non hai tempo di andare a sbirciare le indossatrici al parcheggio dei taxi. Gelosia e orgoglio viaggiavano a braccetto, ammutolita una attaccava a parlare l'altro. Di sicuro Vronskij era anche simpatico e sapeva stare al mondo, non collezionava vecchi caratteri tipografici di legno, non conservava la prima progressiva firmata da lui come responsabile, non sapeva montare un retino o cambiare una lastra, e neppure costruiva trenini elettrici, non andava ai campionati di biliardo, e magari sapeva parlare un po' di tutto, anche con principi e sofisticatissime consorti, con presidenti e direttori. Mentre il suo mondo era finito. Il principe si era trasformato in presidente, lui invece non aveva saputo trasformarsi in nient'altro e lo stavano cancellando. Si era trasferito nel suo ultimo fortilizio e si preparava alla battaglia finale, solo come un eroe. Per fortuna riusciva anche a ridere di certe immagini che gli venivano in mente. Era semplicemente un uomo confuso e neppure Gino e neppure sua cugina potevano aiutarlo, pur volendogli bene. Apprezzava molto il loro interessamento e l'affetto che ci mettevano, invitandolo a pranzo e in vacanza, al cinema e al biliardo. Cercavano di distrarlo e lui stesso cercava di distrarsi quando era solo. Perché non puoi immaginare qualcosa che non hai mai visto. Giulia con un altro uomo, per esempio. Ma era poi così importante capire il perché? Quante volte aveva sentito dire: "Non tanto per il fatto in sé, ma per come me lo ha detto!". Ognuno si attaccava al simbolo del suo fallimento, forse per non doverlo ammettere. E poi cambiavano faccia, si accapigliavano con gli avvocati strapagandoli, si trasformavano in mele guaste, come chiamava sua madre quelli che si rendevano la vita impossibile da soli. Mai avrebbe voluto diventare anche lui una mela guasta. Copiò con grande accuratezza fino a mezzanotte, quindi si preparò per la notte. Aveva coperto il divano con un telo e non sentiva più lo sgradevole odore di polvere. Togliendo i cuscini diventava un ottimo letto, un po' corto ma comodo. Come abat-jour avvicinò una lampada a stelo che usava nell'angolo dei grandi formati.

La stanzetta era abbastanza accogliente, un paio di lenzuola pulite e una coperta la rendevano quasi graziosa. Vedeva una scopa, una pila di manifesti impolverati, un catino nell'angolo, tempo prima usato per una perdita in bagno. Non era in un palazzo sontuoso di città e neppure in una immensa villa immersa nei boschi, ma quando chiudi gli occhi diventa tutto uguale. Il giorno dopo sarebbe andato a prendere i ricambi e a fare la lavatrice. Avrebbe usato una piccola valigia. Aveva cambiato tre letti nel giro di un mese, dormendo da solo in tutti. Ma adesso era nella sua proprietà, che forse non valeva quasi niente come tipografia ma aveva la sua bella metratura e il palazzo era pieno di uffici legali e dentisti, insomma vantava un certo prestigio. Speso il suo piccolo orgoglio si ritrovò a pensare all'odiato Vronskij. Che una scusante l'aveva: doveva frequentare serate mondane di una noia mortale. Vronskij si annoiava, questo non l'aveva capito subito. Il marito tradito invece era un buon diavolo mediocre, un po' come lui che però non aveva imperfezioni alle orecchie. Chi vuole trovare difetti li trova facilmente: troppo alto, troppo magro, troppo gentile, di nessun valore sociale, bastava scegliere. Non è mai un particolare a disgustarti di qualcuno, è soltanto una scusa per non ammettere che tutto ti disgusta in lui.

La strana notte in negozio gli fece bene, riuscì a dormire dopo tanto tempo quasi otto ore senza mai svegliarsi. Faceva la barba un giorno sì e l'altro no, quindi non sentì affatto il bisogno di una casa al risveglio. Si lavò alla meglio al piccolo lavabo del bagno e andò a fare colazione nel bar accanto. C'erano diversi clienti al bancone ma i tavoli erano liberi e lui si sedette a sfogliare il giornale.

«Lo sa che ha lasciato una luce accesa stanotte?» gli disse la barista facendolo arrossire.

«Ah, davvero?»

La signora doveva essere una buona osservatrice e in effetti lo osservò insospettita perché aveva notato qualcosa di strano. Fu una sensazione sgradevole, per lui, che gettò un'ombra sulle sue ultime decisioni. Ci teneva a essere per lei e per tutti gli altri quello lungo della tipografia, quello del 14, e nient'altro. Così, dopo alcune settimane di questa nuova vita clandestina, alcune abitudini nacquero e altre morirono. Tra queste ultime la decisione di cambiare bar, scegliendone uno più elegante e non troppo lontano. Ci andava allungando un po' la strada per non farsi vedere dalla barista che aveva avuto il torto di fargli notare la luce accesa. Giovanni non era nuovo a rotture del genere, soprattutto con negozianti che l'avevano deluso. Ma in quei casi non aveva problemi a passare davanti alle loro vetrine con la borsa di un altro negozio, mentre della signora popputa un po' si vergognava. Tra le nuove abitudini il viaggio sul 14, ma al contrario, due volte alla settimana. Per arieggiare la casa e per tenerla pulita. Con la valigetta portava avanti e indietro quel che gli serviva. Dopo tanti anni, e questa era l'altra nuova abitudine, cominciò a fare colazione con un cappuccino, che nel nuovo bar facevano ottimo, e con due fette di torta di mele. Un giorno si sbagliò e chiese la "torta di male", facendo sorridere la cameriera. Pensò che gli errori dicono sempre la verità, dichiarano la tua ignoranza ma anche la tua disperazione. Alla fine prese il solito caffè e tornò al lavoro. Aveva copiato centinaia di pagine tolstoiane, era ormai nel secondo tomo. Gli sembrava di essere entrato di più nei pensieri di Giulia, tutte quelle frasi che copiava le aveva lette anche lei, erano state nella sua mente e in qualche modo l'avevano influenzata. La paura di invecchiare, l'ultimo treno che passa, una vita più eccitante, allegra, magari illusoria, ma cosa non lo è. Gino e Bruna non sapevano che dormiva in tipografia e non avevano motivo di sospettare qualcosa. Quando Gino passava a prenderlo per andare alla tavola calda non vedeva niente di insolito nel negozio. Andava a pranzo da loro a domeniche alterne, lo avevano adottato per fargli sentire aria di famiglia, e a lui andava bene. Ormai aveva troppi segreti da confessare e preferiva tenerli per sé. Poteva forse parlare del maledetto Vronskij? O del suo divano? O del libro che stava componendo per Giulia che però era scomparsa?

Erano ormai le nove di sera e la saracinesca era chiusa, ma qualcuno attraverso le sbarre stava bussando sul vetro.

«Lo so che sei lì! Apri!»

Era la voce di Gino, se non avesse aperto avrebbe sicuramente finito col rompere il vetro.

«Si può sapere che ti prende?» gli disse aprendo la porta di vetro e guardandolo attraverso le sbarre.

«Tira su questa robaccia» disse Gino inflessibile.

Tirò su la serranda, non completamente ma abbastanza per lasciarlo passare.

«Pensavo che eravamo amici» cominciò Gino, così arrabbiato che neppure lo guardava.

«E invece?»

«E invece succede che passo a casa tua una sera, per caso, ero a cena da un collega che abita dalle tue parti... e non ci sei. Allora ripasso la sera dopo. E non ci sei.»

«Potevi telefonare.»

«Ho telefonato infatti.»

«Forse dormivo, di notte spengo il telefono, lo sai.»

«Ho capito, ho capito. Facciamo i misteriosi...»

E per un po' non disse altro. Notò il libro aperto accanto alla tastiera e lo guardò distrattamente senza capire.

«Dài, mettiti la cravatta e vieni con me. Hai deciso di ammazzarti di lavoro, va bene, affari tuoi, ma adesso mettiti la cravatta e andiamo. Devi uscire da questo posto. Il mondo va avanti anche se la Giulia è partita. Ah, l'altro giorno ero passato per dirti che la Nina l'ha incontrata ancora, come l'altra volta. Te lo racconterà lei.»

Giovanni lo guardò incuriosito e lui aggiunse: «Domani è domenica, se non lo sapevi».

«Veramente? Pensavo fosse venerdì.»

«Capisci in che condizioni sei? Metti quella cravatta.»

Giovanni andò a lavarsi la faccia e a pettinarsi, annodò la cravatta e seguì l'amico, pensando che l'avrebbe portato a giocare a biliardo e a bere una birra. Ma la macchina di Gino prese una direzione insolita. Attraversarono mezza città e si inoltrarono in un bel quartiere residenziale di case con il giardino. Finito il quartiere si trovarono in una zona di vecchie fabbriche abbandonate.

«Andiamo a una festa beat» gli rivelò finalmente l'amico. In quel periodo aveva scoperto Miles Davis e tutti gli altri gli sembravano banali. Si fermarono davanti a un grande capannone dal quale provenivano le note acute di una chitarra elettrica. «Ti ricordi Piero Brigenti? Quello biondo che lavorava con me? Il veneto.»

«Sinceramente no.»

«Compie cinquant'anni e fa una festa. La Nina è già lì, sai che le piace ballare questa roba vecchia. È con una certa persona… una che non conosci.»

All'interno c'era molta gente seduta ai tavoli, mentre alcuni ballavano davanti al palchetto dove si esibivano quattro signori non proprio giovanissimi ma che si prendevano molto sul serio. Giovanni non era abituato alla musica dal vivo e si sentiva stordito. La Nina era a un tavolo grande con altre persone e aveva l'aria annoiata.

«Allora l'hai trovato, dove si era cacciato?»

«Lavorava!» rispose sardonico il marito.

Nina con un gesto improvviso afferrò la mano di Giovanni e lo trascinò verso la pista da ballo.

«Voglio presentarti una mia amica» gli disse. «Lavora, non è matta, è divorziata.»

La signora in questione si stava graziosamente dimenando in un gruppetto di donne e si fermò un attimo per le presentazioni. Si chiamava Ludovica, e a parte il vestito un po' troppo aderente sembrava graziosa. Gino doveva aver deciso che faceva per lui, e cominciò a ridere muovendo insieme alle signore i primi goffi passi di danza. Anche da ragazzo ballava così, con quello che Giulia definiva "stile dell'orso", cioè oscillando ritmicamente braccia e bacino senza muovere troppo i piedi. Gli sembrava tutto assurdo ma in effetti non parlava con nessuno da giorni e anche una serata balorda poteva andargli bene. Era proprio vero: quando sei solo diventi schiavo degli altri. Gli piaceva starsene in silenzio in completa solitudine e anche in quel momento avrebbe preferito essere nella sua tana, ma gli umani devono parlare ogni tanto, scambiare qualche sorriso. Un catalogo per venditori di ferramenta e la composizione di un libro che avrebbe stampato in un'unica copia non bastavano a riempire una vita. Faceva oscillare le sue lunghe gambe, anche piegandole un po' sembrava una sorta di totem circondato da nane. Alla fine di ogni pezzo Gino gli faceva trovare un calice di prosecco e ne mandò giù parecchi. Non sarebbe riuscito a dare un titolo alle canzoni che suonavano ma erano famosissime e sapeva canticchiare quasi tutti i refrain. A un certo punto anche Gino suonò la chitarra accanto al festeggiato, che infaticabile pestava senza pietà la sua batteria. Subito dopo si spensero le luci e apparve la torta con cinque candeline. Poi per qualche minuto riaccesero tutto e poterono guardarsi in faccia. Qualcuno fece un breve discorso augurale al microfono della cantante, ma Giovanni e Ludovica non lo ascoltarono perché finalmente potevano parlarsi. Ludovica era maestra elementare e insegnava nella scuola che aveva frequentato anche lui appena trasferito in città. Le disse della foto traumatica in cui lui con fiocco e grembiule era già alto come il maestro. Mentre parlavano qualcuno portò sul palco un sacco pieno di regali e il batterista ringraziò nascondendo a fatica la commozione. I regali erano così tanti che li avrebbe guardati a casa uno per uno.

«Io ero bravino in matematica e in disegno» stava enumerando Giovanni, «ma nell'ora di musica ero il primo in solfeggio. Peccato che quando mi hanno dato uno strumento sono diventato il peggiore».

Era un aneddoto che raccontava spesso, forse perché ci si trovava ben descritto. Sì, effettivamente Ludovica aveva un bel viso, e anche una bella parlantina. Giovanni non poteva desiderare di meglio. Li raggiunsero Gino e Nina e brindarono tutti insieme. Gino gli lanciava sguardi di complicità che un po' lo amareggiarono, perché significavano che Giulia non sarebbe mai tornata. Bevve un altro prosecco, e un altro ancora, perché voleva finalmente smetterla con le sue ossessioni e con quei bagliori di infelicità che ogni tanto gli esplodevano in petto e lo inondavano dappertutto. La festa era ormai dominata dal prosecco e quasi tutti ballavano. Sotto le ridicole luci che lampeggiavano troppo debolmente i ballerini avevano le facce al buio. Soltanto gli occhi e i denti di Ludovica brillavano nell'oscurità. Poi tutto divenne più confuso. A un certo punto, come in un sogno, Giovanni e Ludovica si trovarono a dimenarsi sul palco mentre tutti applaudivano e ridevano.

Piombato in questo strano sogno che appena in parte lasciava trapelare la realtà, Giovanni si lasciò andare completamente, forse per la prima volta nella sua vita. Ne sentiva un bisogno disperato, chiuso nel suo negozio non lo sapeva. Bravo Gino che l'aveva tirato fuori da lì, sempre alle prese con quel maledetto Vronskij che alla fine l'accarezzava eccome, la sua Giulia, l'accarezzava per bene, con la sapienza dei puttanieri, e lei si lasciava accarezzare volentieri perché voleva sentirsi viva dopo tanto tempo! Ballare i Rolling Stones gli faceva un gran bene, lo svuotava, sognava, confondeva realtà e fantasia, le luci che vedeva girare, i sorrisi, gli occhi arrossati dall'alcol, le voci, le risate. Attorno alle tre del mattino si svegliò sudato e divorato dalla nausea a casa sua. Come era arrivato sin lì? Chiudendo gli occhi ricordò alcuni frammenti della sera passata. A un certo punto era seduto all'aperto, su un gradino bagnato. La Nina apparsa sorridente sopra di lui, il viso incorniciato dal cielo nero.

Parlava, la Nina, e lui pensava: Ma perché non sta zitta? Qualcuno aveva trovato un pallone di gomma e i maschi si esibivano in tiri e palleggi. Si era unito al gruppo e quando gli avevano passato la palla aveva tirato un gran calcio sfasciando una vecchia finestra, e tutti l'avevano applaudito. Aveva esultato come un cretino, a braccia alzate, cercando di correre anche se sbandava. Come era stato cretino! All'improvviso si sentì male e i brutti ricordi svanirono. Cercò di raggiungere il bagno ma non lo trovò dove pensava di trovarlo. Era convinto di essere in camera della Piccola invece si trovava nella sua vecchia stanza. Vomitò in corridoio e soltanto quando era troppo tardi raggiunse finalmente il bagno. Non era riuscito a trovare neppure l'interruttore della luce, come succede nelle case sconosciute. Di sicuro quella casa non gli voleva più bene. Cercò di vomitare ancora ma ebbe soltanto degli spasmi dolorosi e dovette sedere sul pavimento per non cadere. La nota vergogna degli ubriachi lo invase, tutto lo disgustava, a partire da se stesso. La sua vita presente, quella passata, le poche persone che ancora lo frequentavano, tutto e tutti. Come se qualcuno avesse sollevato il sipario impolverato mostrando la fredda realtà delle cose. Quel maledetto Vronskij non si ubriacava mai così, ci teneva a restare in forma, sapeva frenarsi, sapeva vivere, lui. Giovanni in fondo non apprezzava né Vronskij né Anna, li trovava banali e finti, come tutti quelli che straparlavano d'amore. I suoi personaggi preferiti erano la principessa

Kitty e Konstantin Levin il campagnolo. Anna e Vronskij erano viziati, capricciosi e anche un po' maiali. No, la sua Giulia era figlia di piccoli coltivatori di mele e non aveva niente in comune con Anna, gli sembrava piuttosto simile a Kitty. Questo pensiero, apparso con le prime luci dell'alba, lo rasserenò e riuscì finalmente a dormire.

# 5

Passare l'inverno in tipografia comportò qualche disagio, per via dello scarso riscaldamento. Anche se c'erano soltanto tre piccole finestre in tutto, quando si alzava il vento la sua piccola camera si riempiva di spifferi e dovette sigillare le ante con lo scotch dei pittori, che si staccava e si riattaccava facilmente. Passato il freddo ricominciò a soffrire per il caldo, che tollerava anche meno. Altri due supermercati si erano uniti ai suoi vecchi clienti e riusciva a guadagnare abbastanza anche per pagare l'affitto della casa deserta, che settimana dopo settimana diventava sempre più ostile e assurda. Senza lo stipendio di Giulia le spese erano raddoppiate. Prima avevano un fondo comune e ognuno metteva la metà. Quando era caporeparto e guadagnava molto di più pensava a tutto lui, come aveva fatto per la macchina. Anche il pensiero della Golf nuova fiammante chiusa in garage lo infastidiva, tanto che a un certo punto decise di rivenderla al concessionario, prendendo un'utilitaria usata più adatta a lui. Giovanni non era uno spendaccione e del resto, non avendo maturato una vera pensione, doveva pensare anche alla vecchiaia. Ora gli sembrava lontana, irraggiungibile e forse anche indesiderabile, ma sua madre gli aveva insegnato a occuparsi dei conti sin da ragazzo e aveva fatto bene. Gino e la moglie lo trovavano ringiovanito e in effetti era vero. Camminava molto, faceva qualche corsetta nel suo vecchio quartiere mentre andava la lavatrice, dormiva, beveva litri di acqua minerale. Dopo la festa di compleanno aveva rivisto qualche volta Ludovica a cena da Gino e si erano anche sentiti al telefono. Gino e Nina si divertivano come matti a combinare i loro incontri, ma Giovanni non riusciva a condividerne l'entusiasmo. Più i due amici caldeggiavano Ludovica più lui si sentiva certo di aver perso la sua Giulia. Dopo mille esitazioni una sera le propose di uscire e andarono insieme a mangiare una pizza. Finirono in una elegante pizzeria su due piani consigliata da Gino, simile a una grande barca, e si trovarono bene. Inevitabilmente lei gli parlò del suo matrimonio fallito e questo lo annoiò moltissimo. Anche il divorzio di Anna Karenina lo annoiava, lo stava copiando proprio in quei giorni. Esaurite le storie di infelicità coniugali si raccontarono i loro viaggi e alla fine pagarono il conto e andarono a passeggiare in centro.

«Ma tua moglie è ancora in città?» gli chiese prendendolo timidamente a braccetto.

«Sì, la Nina la incontra per strada ogni tanto. Ma io no, non la vedo quasi da un anno.»

«E vostra figlia?»

«Lei sta all'estero, stanno tutti all'estero, non ci sono più figli. Lei... Lisa, lo trova normale, dice che è soltanto un periodo. Un periodo, bah!»

C'erano continui ammiccamenti, tra loro, molti discorsi restavano così, appena accennati, tanto il resto era prevedibile. Con Giulia invece camminavano in silenzio, soltanto a volte scambiavano qualche parola; lei all'improvviso gli tirava il braccio delicatamente e puntava una delle sue vetrine.

«Ma ti senti solo? Che fai la sera?» gli chiese ancora Ludovica.

«La sera? Non faccio niente.»

Non poteva dirle che aveva copiato mille pagine di *Anna Karenina*, e soprattutto non poteva dirle per chi stava preparando il libro. Ludovica ci teneva a dimostrargli che la bevuta della prima sera era stata uno strappo alla regola. In pizzeria aveva lasciato mezza birra e non aveva condiviso il grappino con Giovanni. Quando avevano parlato della loro serata alcolica le erano venuti i brividi e le si era accapponata la pelle delle braccia. Erano graziose, le sue braccia, e infatti le scopriva appena possibile tirandosi su le maniche del soprabito come se avesse caldo. Era graziosa in generale, aveva una bella bocca e un bel viso. Sorrideva spesso, forse perché sapeva di avere un bel sorriso, ma c'era un'ombra di amarezza in quel sorriso. Appena smetteva di sorridere si trasformava e diventava triste all'improvviso. Siamo mele guaste, continuava a ripetersi Giovanni, mele guaste. In Galleria le regalò una rosa e lei se la infilò abilmente nella fibbia della borsetta e la portò come una spada, con disinvoltura. Per certi versi era simile a Giulia, nel modo di vestire e nel portamento. Parlando di segni zodiacali, che Giovanni irrideva, venne fuori che Ludovica era nata esattamente un anno prima di Giulia, cioè Ludovica aveva un anno e un giorno più di Giulia.

Quando Giovanni fece notare la coincidenza lei non sembrò stupita.

«Incontriamo sempre le stesse persone.»

«Io invece sono un po' più vecchio e sono nato di novembre.»

L'ex marito di Ludovica era nato in dicembre, ma il segno zodiacale era lo stesso.

«Fai male a non crederci» disse lei tutta seria, «i caratteri sono i caratteri, non c'è niente da fare.»

«Forse dipende dal tempo» ipotizzò lui facendo un po' lo scienziato. «Le patate di maggio sono diverse da quelle di settembre, sarà così anche per le persone.»

«E tutto questo cielo cosa sta a fare?» scherzò lei indicando un bel quarto di luna invernale, tersa e brillante.

«Io non lo so.»

Sorrise anche lui, ma con la spiacevole sensazione di aver esaurito tutti gli argomenti possibili. Restavano gli anni di scuola e i genitori e poi non avrebbero avuto più niente da dirsi. Conosceva bene questo panico che lo prendeva soprattutto con le donne. Soltanto con Giulia poteva godersi i suoi silenzi pieni di contentezza. Quando era ragazzo guardava ammirato i vecchi che se ne stavano per ore al bar, davanti a un bicchiere, senza dire neanche una parola. Quante saranno le parole che una persona deve dire veramente, si chiese. Dieci, forse trenta, non di più. Il resto era banale abbellimento, una gara di scaltrezza. Certo, un Vronskij non aveva questi problemi.

«Io penso che ognuno ha un destino» disse Ludovica. «E tu puoi fare tutto quello che vuoi ma non lo puoi cambiare.»

«Allora sarebbe meglio ammazzarsi» scherzò Giovanni, che di fronte a parole come quella non sapeva proprio che dire. Non aveva mai pensato di avere un destino anche lui.

«Se hai voglia di camminare possiamo andare verso casa mia, così mi accompagni. A quest'ora c'è brutta gente in giro.»

«Volentieri, certo» rispose pronto, maledicendosi come al solito perché aveva voglia di tornare a copiare. Ormai era a buon punto e voleva proprio finire. Non voleva accompagnarla a casa, e soprattutto non voleva vederla, quella casa. La casa di Ludovica gli faceva tristezza anche se non ne sapeva niente.

«Ti piace camminare di notte?»

«Molto» le rispose.

Scelse lei la strada più breve e lui si lasciò guidare. Sentiva che avrebbe dovuto dire qualcosa di allegro ma più ci pensava più la bocca gli si chiudeva e non aveva la minima intenzione di parlare.

Finalmente camminarono in silenzio per alcune centinaia di metri. A un certo punto si rese conto che stavano entrando nel quartiere dove la Nina aveva incontrato Giulia diverse volte. In quelle strade c'erano molte pensioni, usate dagli studenti e da lavoratori che il venerdì se ne tornavano in provincia. I passanti erano rari, soltanto qualche automobile in transito veloce e pochi autobus illuminati e vuoti. Avrebbe voluto avere una sola donna e un solo lavoro per sempre, pensò. Questa la vita che avrebbe voluto, ma non l'aveva più. Però l'aveva avuta. Meglio non avere quello che si desidera se poi lo si perde.

Vent'anni prima una bomba aveva ucciso diverse persone, da quelle parti, suo zio Andrea l'aveva portato a vedere il luogo della strage e poi erano andati ai funerali, dove c'era una folla immensa, così grande che si sentiva il rumore delle suole sul selciato. "Ricordati sempre" gli aveva detto lo zio, "dove vedi scritto 'Stato italiano' tu sputaci sopra perché è tuo nemico." Lo zio Andrea aveva lavorato come orologiaio in Svizzera tanti anni, prima a Bienne poi nel Ticino, con piccoli industriali che definiva "carogne" e dove da socialista era diventato mezzo rivoluzionario. Era morto da qualche anno. Non diventavano mai troppo vecchi nella sua famiglia, se ne andavano con discrezione per non disturbare. Perché anche zio Andrea era così, rivoluzione a parole ma poi buongiorno signora, che bella casa, anche lui era così. Melliflui, erano melliflui. Mele marce. Lo ricordava com'era sui cinquanta, quando d'estate tornava al paese e chiedeva alla barista: "Maria, damm un selòn", intendendo un Pernod e non certo un bicchiere di siero di latte. C'era solo un modo per combattere quel senso di marcio che avvolgeva anche la bella coppia che camminava tenendosi a braccetto, e si poteva riassumere nelle seguenti parole: le cose stanno così. Anche per questo lo stimavano quando lavorava in squadra con tanti altri. Arrivava il momento critico, e arrivava sempre, e tutto si ingarbugliava. Ognuno diceva la sua, parole e anche insulti, ma soprattutto tante parole. Allora Giovanni si schiariva la voce e diceva: "Le cose stanno così". E poi, semplicemente, le enumerava. Gli altri avevano detto mille parole, lui dieci. Anche adesso doveva dirsi: Le cose stanno così. Ludovica, come tante sue coetanee divorziate, voleva a tutti i costi trovare un nuovo compagno. Si vedeva che lo stava cercando, non faceva niente per nasconderlo e non c'era in questo niente di male. Era disperata e fingeva di essere allegra perché senza un certo ottimismo nessuno ti vuole. Anche lui sentiva la mancanza di una compagna, lo sapeva dai suoi sogni, avrebbe voluto anche lui addormentarsi accarezzando il bel seno di Giulia. Le cose stavano proprio così. Giovanni aveva paura di essere visto da Giulia con un'altra donna al suo braccio, tutta fiera di essere con lui, ben incravattato di rosso e perfettamente rasato. Giulia poteva essere dovunque. Poteva scendere da una macchina che si stava fermando in un parcheggio davanti a loro; dietro quella finestra in alto che lasciava intravedere il mobilio standard di una camera in affitto; nel piccolo gruppo chiassoso che usciva da un locale alla moda. Si sentiva i suoi occhi addosso e quegli occhi erano pieni di lacrime. Ma se invece lei aveva occhi solo per il suo Vronskij cambiava tutto, e allora qualcosa lo spingeva a rispondere affettuosamente alle leggere strette che gli trasmetteva Ludovica sul braccio. Perché le cose stavano così: era anche lui un disperato, esattamente come la sua compagna di passeggiata.

«Vedi lassù?» gli indicò lei liberando dopo mezz'ora la sua mano sinistra. «Quella che ha sopra il terrazzino.»

«Ma c'è la luce accesa.»

«Non la spengo mai, sono una fifona.»

Guardarono a lungo il piccolo appartamento all'ultimo piano, ognuno facendo le proprie considerazioni.

«Vuoi salire un attimo? Ti faccio vedere il terrazzo, è l'unico di tutta la strada.»

«In pieno centro, complimenti!»

«In questo ho avuto fortuna, solo in questo però. Dài vieni, ti offro qualcosa da bere, la pizza mette sempre una gran sete.»

«Volentieri, sono molto curioso, mi riposo anche un po' prima di tornare indietro.»

Non era vero. Non era affatto curioso e non aveva nessuna voglia di salire. A vederlo sembrava un uomo felice del suo momento, pronto a tenere aperta la porta al passaggio della signora, pronto a sorriderle, a farle complimenti per l'ingresso della casa, per l'ascensore così pulito e silenzioso, per le luci che si accendevano al passaggio, per il portone blindato, l'allarme, il grande divano ad angolo, la bella cucina funzionale, le luci, e infine il terrazzo, dove addirittura tirava un vento freddo che sapeva di neve ma che offriva il panorama illuminato di mezzo quartiere. Il tutto allietato da una grappa alla pera «stupenda» e da marron glacé «buonissimi». Ludovica, finalmente a suo agio, era bella, una giovane donna che aveva cura di sé e che probabilmente andava dallo psicologo. Era piacevole guardarla, sentirne il delicato profumo, l'odore del rossetto sopravvissuto alla pizza, quello della cipria, delle creme idratanti. Entrare in casa sua gli aveva trasmesso molte gradevoli sensazioni olfattive che però avevano qualcosa di artefatto, di fittizio. Non era proprio l'odore di casa, era diverso, così come la minestra della madre di Bruna era diversa da quella che si mangiava da lui. Eppure avevano gli stessi ingredienti, le verdure venivano dallo stesso orto, ma mangiare da Bruna per lui era come mangiare all'estero. Ludovica aveva acceso la tivù, incassando complimenti anche per lo schermo ultramoderno, e si sedette accanto a lui col suo bicchierino di grappa.

«Allora ti piace?»

Era la terza, forse la quarta volta che ripeteva la stessa domanda. La sua casa era come un fiore profumato che apre le sue corolle, dentro era tutto lindo e pulito, e anche lei era così. Giovanni aveva esaurito la sua ricca serie di complimenti e non sapeva più cosa complimentare. Era anche morbida, Ludovica, le aveva appena sfiorato una mano ma gli era bastato per esserne sicuro. Un Vronskij si sarebbe volentieri abbandonato a quelle morbidezze, ci si sarebbe tuffato, tra le cosce e il seno dove tutto era ancora più morbido, e baci, carezze, sospiri, e poi via a cavalcare, su e giù, che bellezza! Ma lui non era Vronskij e quando le loro labbra si sfiorarono non sentì niente di buono e si rese conto della tragedia che si prospettava. Doveva essere destino, aveva ragione lei. Ogni incontro con Ludovica si trasformava in delirio, anche con due sole grappe. Non era l'alcol a spingerlo nella confusione, era proprio da lei che la confusione aveva origine. Mani, occhi, camicetta sbottonata, gambe, mutandine bianche ma ricamate di rosa, forme, seni troppo abbondanti. Anziché accompagnare il desiderio i mille dettagli di Ludovica lo rendevano cupo e avrebbe voluto trovarsi in strada da solo, in quel momento, magari lì intorno avrebbe incontrato la sua Giulia, che non riusciva a dormire ed era uscita per cercare qualche fiore di strada da curare. La lunga serie di baci si protrasse per quasi mezz'ora e come una vite si avvita nel legno Giovanni sprofondava sempre più nella cupezza senza rimedio. Provava pietà per lei e vergogna di sé, si sentiva colpevole d'averla in qualche modo illusa, di non essere stato chiaro, ma cosa poteva esserci di chiaro in lui se non aveva il minimo controllo sulle sue azioni e sui suoi pensieri? Non si riconosceva in quell'uomo sul divano, non doveva essere lì ma nel suo negozio a copiare, questo doveva fare, nient'altro.

«Perdonami» le disse prendendo fiato e mettendosi in piedi. La voce gli tremava, avrebbe voluto morire lì, subito, senza dire neanche una parola. «Troppi pensieri, troppo brutti, perdonami, perdonami.»

«Ma dài» cercò di sorridere lei, «può succedere.»

Giovanni guardava fisso a terra, il parquet nuovo lucidatissimo, le frange di un tappeto bluastro. Non aveva il coraggio di incrociare il suo sguardo. Vedeva soltanto le sue mani che riabbottonavano freneticamente la camicetta. Da quando si ricompose, camminando avanti e indietro davanti al divano, a quando si ritrovò finalmente nell'ascensore non passarono più di sette, otto minuti, ma per Giovanni furono l'eternità. Si allontanò dalla casa come un ladro, quasi correndo, sentendosi smascherato dalle macchine che passavano e gli illuminavano le gambe. Il mondo stava crollando, il cuore gli batteva in gola e presto cominciò a sudare. Stupido correre, non serviva a niente. Sapevano tutti di lui e della sua figura infame, anche Dio dall'alto dei cieli lo inseguiva chiamandolo per nome. Era stato vile. Casa bellissima! Cucina stupenda! Vista magnifica! Da lontano vide spuntare un taxi e decise di fargli segno. Per fortuna, dopo aver rallentato per guardarlo bene, il tassista lo prese a bordo e lo portò in tipografia. Non c'era una vera doccia nel piccolo bagno, soltanto uno scarico sul pavimento e un vecchio tubo che spruzzava acqua da tutte le parti, ma aveva bisogno di lavarsi e di cambiarsi. Aprì la valigia della biancheria stirata e tirò fuori il pigiama pulito. Poi si profumò e si versò un bicchiere di acqua e vino per dissetarsi. Era quasi mezzanotte e quando lo scoprì si sentì più disperato di prima. Non riusciva ancora a raccontarsi per intero il tragico episodio che aveva vissuto, ma certi frammenti, il viso di Ludovica, la sua bocca, le mutandine bianche, continuavano a tormentarlo come vessilli di una sconfitta totale. Accese il computer e rilesse le ultime pagine per cercare di riprendere il lavoro. Vronskij che tentava un po' ridicolmente il suicidio, Anna nel delirio con la febbre puerperale. Normale, questa era la fine delle mele guaste, il loro destino era quello di marcire fino al torsolo. Cosa avrebbe detto Gino della sua figuraccia? Di sicuro l'avrebbe saputo, le donne parlano tra loro. Così avrebbe detto Ludovica alla Nina: "Gran bell'uomo che mi avete fatto conoscere! Un divertimento assicurato!". Poi pensò che pochi giorni prima, assistendo in tivù alla caduta delle Torri gemelle aveva pensato: È iniziata la storia che non condivido con Giulia. Bombardavano le città con aerei trasformati in proiettili e non eravamo insieme. Trovava meschino questo pensiero, confondere le tragedie del mondo con quelle del suo piccolo mondo domestico, che infatti moriva insieme a quei grattacieli, perché una parte della storia stava finendo e il millennio si annunciava così. Con chi avrà visto Giulia quelle scene? Dov'era quando succedeva, in quell'esatto momento, dov'era? E con chi? Che mutandine indossava? Forse bianche, magari ricamate, come quelle di Ludovica, e quello che stava con lei non si chiamava Giovanni, non era mica lui, era un Vronskij qualsiasi, uno stupido nobiluomo, un mollusco, uno neanche capace di spararsi come si deve. In questa acuta confusione mentale lui stesso interpretava la parte di Vronskij, Ludovica quella di Giulia, Giulia la parte di Anna Karenina, ma anche di Kitty. Lui non poteva ritirarsi in una villa circondata da un'immensa proprietà, aveva soltanto una casetta di ottanta metri in montagna e una tipografia comprata alle aste che costituiva la sua pensione. Copiò per intero il capitolo del matrimonio di Levin e Kitty e riuscì a stancarsi. Per qualche secondo si era già addormentato sulla sedia ma non aveva voluto rischiare di andare a letto senza addormentarsi subito. Doveva scacciare gli effetti della terribile figura, riuscire a non pensarci più ma naturalmente non ci riuscì e per molti giorni continuò a vedersi mezzo spogliato sul divano di Ludovica e ogni volta chiudeva gli occhi dal dispiacere, come trafitto da un pugnale ben affilato. Qualche volta tornava a chiedersi: ma

Gino l'avrà saputo? E la domanda accresceva l'angoscia delle immagini invasive.

Gino diede a vedere di non sapere nulla della tragedia con Ludovica ma il fatto stesso che nei loro incontri dell'ora di pranzo non la nominò più significava che qualcosa sapeva, e cioè l'essenziale: che aveva fatto la figura del cretino. Già dai giorni successivi alla sera alcolica con Ludovica il suo appetito era notevolmente diminuito e non riusciva a bere che pochissimo vino ai pasti. Il risultato fu che perse qualche chilo, e in un fisico asciutto come il suo il dimagrimento ebbe un effetto vistoso, soprattutto nel viso, che ora appariva più spento.

«Da quanto tempo non ti fai vedere da un medico?» gli chiese infatti Gino subito dopo pranzo. «Hai lasciato lì mezza cotoletta, e anche l'altro giorno…»

«Succede, mica siamo sempre uguali» si difese Giovanni. Per qualche giorno aveva lasciato crescere la barba ma appena si era visto allo specchio l'aveva rasata, dimostrando così un dimagrimento anche maggiore.

«Ma a cosa servono gli amici, mi chiedo. Non parli, non mi dici niente, sembri quasi malato» si infervorò Gino. «Cosa dovrei fare secondo te?»

«Ma cosa vorresti fare? Niente. Non c'è niente da fare.»

«Questo sembra a te, c'è sempre qualcosa da fare. Sempre.»

E dicendo l'ultima parola guardò l'orologio, insospettendo l'amico ancora di più.

«Spiegami cosa stai cercando di dirmi, Gino.»

Per tutta risposta Gino guardò ancora l'orologio. Ormai erano vicini al negozio e in un attimo il piccolo mistero fu svelato.

«Cugino!» gridò Bruna uscendo in fretta dal bar accanto.

«Ma cos'è, un complotto?»

Lei lo baciò sulle guance, come faceva di rado. Odorava di sigarette e rossetto.

«Siccome tu da solo non ci vai abbiamo pensato di accompagnarti dal medico.»

«Ma sto benissimo, ho solo meno appetito…»

Stava quasi per trattarli male perché non sopportava le insistenze, ma riuscì a trattenersi. Lo sapevano che non gli piaceva farsi visitare, con tutte quelle stupide analisi prescritte che alla fine non faceva mai. I due amici non vollero sentire ragioni e lo accompagnarono dal suo medico. Gino e Giovanni avevano da sempre lo stesso medico di base. Uscirono dall'ambulatorio dopo un'ora, con la diagnosi di gastrite dovuta allo stress.

«Ma cos'è lo stress?» commentò Giovanni senza nascondere la sua irritazione. «Tutto e niente, è soltanto una parola di moda.»

«Come cos'è? Uno rimane a casa senza moglie e senza figlia» si inalberò Gino, «questo è lo stress. E poi stai sempre lì davanti a quel maledetto schermo di computer, anche quello è stress! Fai una vita di merda? Quello è stress.»

«Tutto è stress, l'esistenza è stress, e allora? Sai che ti

dico? Uno che mi consiglia di non stressarmi mi fa incaz-
zare!»

«Comunque prendile quelle pasticche che ti ha pre-
scritto» raccomandò Bruna, che per qualche giorno aveva
addirittura avuto un cattivo presentimento. Poi aggiunse
seria: «Ma tu chiama, siamo sempre noi a chiamarti, vieni
di qua vieni di là, tu non chiami mai, che diavolo fai tutto
il giorno, tutte le sere?».

«Le solite cose. Che vuoi che faccia? Quello che fate
voi.»

Lo guardarono entrambi di nuovo preoccupati per la sua
reazione seccata, e lui lesse quello sguardo come un segno
di sfiducia. Ma tu sei solo, diceva quello sguardo. E diceva
anche dell'altro: Noi abbiamo una famiglia, non proprio
perfetta ma insomma l'abbiamo, tu invece sei solo come
un cane, e adesso vai a nasconderti nella tua tana che sa
di inchiostro, sempre solo. Provavano pietà per lui, quasi
l'avrebbero portato via con loro. Gli volevano bene, certo,
ma trovava ridicoli tutti gli espedienti escogitati da Gino
e neppure certi sguardi lacrimosi di Bruna gli piacevano.
Non doveva arrabbiarsi, ma in quel momento avrebbe
voluto mandarli via addirittura insultandoli: fatevi i fatti
vostri! Toglietevi dalle balle e lasciatemi in pace!

Sarebbe stato orribile e ingiusto dire cose del genere,
quel linguaggio violento non gli apparteneva. Se per ipotesi
fosse morto chiuso nella tipografia loro due l'avrebbero
cercato. Però non dovevano fargli perdere tempo in goffi

appostamenti e in stupidi ambulatori per sentirsi dire sce-
menze sullo stress. Decise di scuotersi, non era il momento
di morire, non aveva ancora cinquant'anni e un po' di
gastrite non l'avrebbe fermato.

Entrarono in tipografia e passarono ancora qualche
minuto insieme, poi Bruna e Gino, interpretando il suo
mutismo, tornarono alle loro occupazioni, ricordandogli
la cena del sabato e la gita della domenica. Giovanni per
il senso di colpa quasi si commosse, quando andarono via.
Gli dedicavano tempo prezioso, quei due, e lo facevano
in cambio di niente, addirittura della sua compagnia che
tanto piacevole non doveva essere. Si sentiva come una
molla pronta a scattare, doveva imparare a controllare le
sue reazioni. Adesso era di nuovo solo, finalmente. Restava
*Anna Karenina* da finire, e a dire il vero anche la stampa
di un manifesto pubblicitario che non gli piaceva. Le sue
giornate erano piene, pensò. Ma subito dopo si corresse:
piene di niente. Si era arrabbiato con i suoi amici perché
gli facevano perdere tempo ma in effetti non stava facendo nulla. Stava copiando la scena della morte del fratello
sbandato di Levin, in uno squallido albergo di provincia.
La mondanità di Vronskij lo annoiava mentre la vita di
coppia di Katia e Levin lo appassionava. L'amore dei due
si intrecciava con la morte e veniva fuori qualcosa di strano,
che Giovanni immaginò simile al tronco del vecchio glicine,
l'unico forse sopravvissuto nel suo angolo. Le radici erano
nel giardino accanto ma seguendo il sole aveva invaso il

loro muro. Un legno che ingloba tutto, avvolgente e durissimo. Il tormento della malattia non può essere evitato e affrontarlo con un sentimento forte e pulito produce un ulteriore accrescimento, non la distruzione di tutto come ci si aspetterebbe. La sua patetica esibizione da Ludovica apparteneva al male perché il suo corpo la rifiutava, e allora anche le carezze potevano trasformarsi in male. Quando Giulia aveva subito il primo intervento, il più difficile, erano rimasti sulla stessa barca e quel che succedeva a lei succedeva anche a lui. Ritrovarsi, subito dopo, finalmente a casa, in quel giorno di primavera, l'aria fresca che entrava in camera, il profumo del glicine, lo strano insetto che aveva sorvolato la stanza. Era stato bello. La nostalgia fu così forte da fargli serrare le labbra e socchiudere gli occhi. Avrebbe dato qualsiasi cosa per rivivere quei momenti di felicità, che non erano stati gli unici perché la felicità li aveva visitati spesso, non poteva esserci sempre, come le onde lunghe del mare, che all'improvviso raggiungono le sdraio. In una di quelle onde si nascondeva la Piccola, forse la creatura più attesa e desiderata del mondo. Tutte andate via. Le sue donne l'avevano lasciato. Seguendo questi strani pensieri il desiderio di Giulia esplose nella sua testa, un desiderio inatteso, inopportuno, doloroso, irragionevole. All'improvviso la voleva lì, come la Piccola che rivoleva il ciuccio dopo averlo buttato, in campagna. Il desiderio non guarda in faccia ai momenti. Era così chiaro, bastava accettarlo. Giovanni non voleva una donna qualsiasi, voleva proprio lei, per sua libera scelta, per autentica convinzione. Non poteva bastargli niente di meno. Aggirandosi inutilmente nei vasti ambienti di lavoro, accendendo e spegnendo le luci, il desiderio di Giulia lo fece camminare fino a notte inoltrata. Copiava una pagina, a volte due, di *Anna Karenina*, poi camminava dieci minuti come se avesse fretta e un marciapiede infinito davanti a sé. A volte Giulia si abbandonava agli abbracci di Vronskij, davanti ai suoi occhi sbarrati, altre volte correva verso di lui candida come Kitty e lo chiamava Giovannino. Per propiziarsi il sonno mandò giù un sorso di grappa con la pastiglia per la gastrite e si consegnò, stremato dalla tastiera, al suo comodo divano. Ora poteva definirlo veramente comodo. Da qualche tempo aveva ovviato al solito problema che gli si era posto spesso dormendo fuori casa: il divano era troppo corto per lui, e i piedi gli sporgevano fuori di un buon palmo. Acquistando un banale sgabello rettangolare imbottito aveva ottenuto la prolunga desiderata e ora anche i suoi piedi godevano il meritato riposo. Non proprio tutto era impossibile, qualche problema si poteva risolvere e questa fu la sua unica consolazione.

# 6

I cambiamenti portano altri cambiamenti e alla fine ci si trova cambiati anche continuando la solita vita di sempre. Nei mesi che seguirono Giovanni cercò di studiarsi, o "tenersi sott'occhio" come diceva lui, per non lasciarsi invadere dai cambiamenti. In fondo il personaggio meno interessante del libro che stava finendo di copiare era il cornuto, cioè il marito di Anna. Più cercava di comportarsi nobilmente più diventava sgradevole. Pur essendo il contrario di Vronskij in fondo gli assomigliava. Le donne mettevano in una relazione di parentela gli uomini che amavano, i figli si confondevano, diventavano figli di tutti. Giovanni sapeva se un libro era stato letto per intero oppure no. Quei due grandi tomi Giulia li aveva sfogliati fino all'ultima pagina, e certi paragrafi erano stati evidenziati segnandoli con l'unghia. Anche quei graffi lui cercava di interpretarli come fossero segni di una lingua lontana. Quanto aveva influito quel libro nelle scelte di Giulia? Quanto l'aveva trasformata senza che lui potesse rendersene conto? Certe sere lei leggeva e lui si addormentava sfiorandole i piedi. Lei invece andava avanti per ore, ascoltava quelle voci, assisteva alle svolte e alle scelte dei personaggi, si identificava con qualcuno di loro in modo speciale. Sapere con chi si identificava l'avrebbe aiutato ma i segni nelle pagine non lo lasciavano capire, riguardando tutti e cinque i personaggi principali. Avvicinandosi alla conclusione del romanzo cominciò a interrogarsi sull'opportunità di farne un regalo. Come si poteva regalare un romanzo così a una donna quasi coetanea della protagonista? Sarebbe stato come dirle: Anche tu hai tentato una fuga illusoria e anche tu finirai male. Giovanni non conosceva la storia della Karenina, non sapeva niente della sua fine tragica quando aveva scelto il libro. Giulia avrebbe forse apprezzato il suo sforzo ma come poteva non pensare alla fine orribile della protagonista? Con questo dubbio atroce terminò di copiare tutto il libro e poi lo impaginò con grande eleganza. Il carattere scelto gli sembrava bellissimo, con le sue sobrie grazie e con un'interlinea adeguata non soffocava le pagine ma anzi le rendeva calde e accoglienti, la vista gioiva. Risultato: duecento pagine in più rispetto all'edizione originale. Se Giulia si era identificata con il personaggio di Anna ed era fuggita con un Vronskij qualsiasi allora il dono sarebbe diventato un polemico dono d'addio e se lo sarebbe meritato. I due magnifici volumi rilegati le avrebbero ricordato per sempre i suoi errori. Senza bisogno di nessun commento. Vedi questi due tomi stampati in magnifica carta naturale e rilegati in pelle? Ti ricorderanno per sempre la faccia di un tipografo onesto che sapeva fare il suo mestiere come pochi. Il tutto gli sembrò molto signorile e concluse il lavoro curando ogni dettaglio. Copertina in pelle verde flessibile, titoli in oro. Come editore, il semplice nome della sua tipografia. L'unico grave errore, per fortuna smascherato prima della stampa, lo commise in copertina, scrivendo "Tipografia Peduzi" anziché "Peduzzi". L'errore si nasconde spesso nella copertina, ammoniva il suo vecchio capo, e in questo caso nel suo stesso nome. Scrivere "un'asino" sarebbe stato meno grave. Uno stupido errore poteva trasformare un libro prezioso in un oggetto ridicolo. Nel risguardo in cartoncino una piccola scritta dichiarava che quella copia s.i.p. era unica e destinata a uso privato. Gli era sembrato corretto aggiungere anche nome e cognome del traduttore. Non voleva rubare niente a nessuno, soltanto creare un libro assolutamente unico al mondo. Pochi potevano vantarsi di possedere un oggetto del genere. Se sfogliava velocemente le pagine dei due tomi gli sembrava di sentirne la musica.

Per molti giorni se li rimirò, toccandoli e aprendoli a caso, ma a un certo punto, quando smetteva di considerarli dal punto di vista tipografico, i dubbi tornavano ad assalirlo. Era pur sempre la storia di una matta che si buttava sotto a un treno. Le pastiglie contro la gastrite non gli avevano fatto ritrovare l'appetito, segno che non aveva la gastrite. Doveva trattarsi di una sorta di pausa del suo organismo, che neppure lui riusciva a digerire la scomparsa di Giulia. Si fece fare un buco nella cintura da un calzolaio e rimediò così al dimagrimento inevitabile.

I giorni passavano e lei non tornava, né si faceva sentire al telefono. A volte si svegliava geloso e collerico e fino a sera si consumava nei suoi tristi pensieri e nelle brutte immagini pornografiche che li accompagnavano. In questi pensieri Giulia assumeva spontaneamente posizioni volgari che non le conosceva, pronta a subire qualunque desiderio sfacciato del maledetto Vronskij. Più spesso gli capitava di svegliarsi già rassegnato. La Nina non l'incontrava più per strada, forse aveva cambiato città e non gli avrebbe mai fatto sapere niente. Forse era sparita per sempre.

Anche Gino, che aveva sempre ostentato ottimismo, cominciava a pensare che Giulia non sarebbe tornata.

«A questo punto sai cosa resta da fare?» gli disse un giorno dopo pranzo. Pioviccicava, dovevano camminare sotto il grande ombrello di Giovanni. «Andiamo dall'avvocato e chiedi il divorzio per abbandono del tetto coniugale.»

«E cosa cambierebbe?»

«Cambierebbe che chiudiamo questo periodo di merda. Bisogna metterci un punto. Non ti vedi come sei ridotto? Avrai perso quindici, venti chili!»

«Cinque» ridimensionò Giovanni.

«Sembri uno scheletro, guardati in uno specchio. Ecco, guardati nella vetrina, ti vedi?»

Giovanni lanciò una breve occhiata alla vetrina, che in effetti era stata coperta con un grande foglio di carta nera in cui ci si poteva specchiare. Sì, era dimagrito, ma le grandi idee dell'amico gli sembravano balorde come sempre.

«Se ci sarà un'udienza dal giudice dovrà presentarsi per forza» aggiunse Gino. «Se ne parlava con la Nina anche ieri. Secondo lei ha fatto una pazzia, si sarà messa con qualcuno e non ha il coraggio di dirtelo. Ma non capisci che è una violenza bestiale quella che ti sta facendo? A te che l'hai sempre trattata come una principessa.»

L'immagine della principessa strappò un sorriso a Giovanni.

«L'ho trattata come meritava, è stata una brava moglie e un'ottima madre. Fino a un anno fa.»

«Un anno e quattro mesi» precisò Gino, che sui conti non sbagliava.

«Gli avvocati costano.»

«Ma che idea ti sei fatto in tutto questo tempo? Cosa può essere successo?»

«Non lo so. E non lo sai neanche tu, neanche mia figlia, e neanche la Nina. Lo sa soltanto lei, e chiudiamo qui il discorso per favore.»

«Qualcosa devi fare, Giovanni, non puoi vivere in un negozio, non puoi andare avanti così. Mi fai andare a lavorare con un peso sullo stomaco. Finirai con l'ammalarti, te lo dico io.»

Rimasto solo Giovanni cercò di riflettere sulle parole dell'amico anche se non l'aveva preso molto sul serio. Andare da un avvocato e scrivere una denuncia di abbandono del tetto coniugale gli sembrava orribile e inutile. Ma neppure poteva restare in attesa senza sapere cosa stava succedendo, forse doveva cercare di incontrarla e l'unico modo era aspettarla al mattino davanti all'ingresso della sua azienda. Giulia aveva l'orario flessibile ma entro le dieci doveva entrare per forza e lei arrivava sempre attorno alle nove. L'aveva pensato altre volte ma gli era sembrato impossibile. Poteva spaventarla, o addirittura sembrarle minaccioso. Non voleva costringerla a tornare con lui, non voleva neppure convincerla. Cosa c'era di più stupido che cercare di convincere qualcuna a restare con te se vuole lasciarti?

Stava ragionando così quando udì un forte colpo contro la vetrina: l'ombra di un corpo ci stava scivolando sopra, come se cercasse di aggrapparsi al vetro. Si precipitò fuori e trovò una signora a gambe aperte sull'asfalto, sbalordita ma sul punto di piangere. La pioggia stava riempiendo il suo ombrello in bilico sul marciapiede.

«Si è fatta male, signora?» le chiese soccorrendola.

«Sì, credo di sì.»

Adesso piangeva, ma non riusciva ad alzarsi.

«Si muova piano, signora, mi dica dove le fa male.»

«Qui.» La donna indicò un ginocchio, in effetti segnato

dall'asfalto. «Ma anche qui e qui» e si toccò un braccio e una spalla.

«Dev'essere scivolata sulle mattonelle di vetro. Ecco, si tenga a me, riesce a stare in piedi? Entriamo se ce la fa, le prendo una sedia.»

La donna si muoveva con grande cautela, anche perché aveva perso il tacco di una scarpa, ma riuscì a entrare e a sedersi. Giovanni le portò un bicchiere d'acqua e un fazzoletto pieno di ghiaccio.

«Lo tenga sul ginocchio, le farà bene. Vuole che chiami un'ambulanza così si fa vedere al pronto soccorso?»

«No, l'ambulanza no, per favore. Potrei chiamare mio marito? Non so dove ho messo il cellulare, in questa maledetta borsa non si trova niente…»

Giovanni le offrì il suo telefono e la signora parlò con il marito.

«Sono in una copisteria in via…» e guardò Giovanni, che le allungò un suo biglietto da visita. Lei lo lesse staccando bene le parole. Non doveva essere molto pratica della zona.

«Va bene ti aspetto, quando sei arrivato suona. Per fortuna mi ha soccorsa questo signore tanto gentile. Gli ho quasi sfasciato la vetrina.»

Restituito il telefono la donna continuò a ringraziarlo.

«È andata bene, signora, si tranquillizzi.»

«Questi maledetti tacchi!»

Aveva qualche anno più di lui, la signora, e molta più carne attorno alla robusta ossatura. Il ginocchio traumatizzato cominciava a gonfiarsi e anche la spalla le faceva sempre più male.

«Vuole un po' di grappa? Forse l'aiuterebbe a riprendersi.»

«No grazie, o forse sì, un goccetto appena, grazie.»

Giovanni le versò un dito di grappa in un bicchierino e lei ne mandò giù un sorso.

«Basta un attimo, si cade e ci si trova per terra. Mio marito dirà che sono cretina.»

«Ma no, signora, può capitare a tutti.»

«Non ce la faccio a finirla ma mi ha fatto bene. Ecco, tenga il bicchiere. Mio marito lavora qui vicino, sarà qui in un attimo. Lo stavo aspettando, poi ha cominciato a piovere forte e ho cercato di raggiungere il bar.»

«Anche mia moglie una volta è scivolata per la pioggia.»

«Lei è un vero signore, lo sa? Mi piacerebbe dirlo davanti a sua moglie.»

«Sono soltanto un tipografo, signora.»

Un breve colpo di clacson annunciò l'arrivo del marito e Giovanni l'aiutò ad alzarsi.

«Se le fa male lo dica, ecco, piano piano…»

Aggrappata al suo braccio la signora si presentò così al marito, un signore piuttosto corposo in giacca e cravatta, già sceso dalla macchina con la faccia allarmata. Aiutandola in due la fecero sedere accanto al guidatore.

«Grazie tante» disse l'uomo, «mia moglie ha sempre la testa per aria.»

«Grazie» gli disse anche lei prima di chiudere la portiera. «Lei è un vero signore, mi creda.»

La macchina stava muovendosi quando Giovanni si ricordò dell'ombrello. Corse a prenderlo e lo restituì alla proprietaria attraverso il finestrino.

«Vedrà che non è niente.»

Non era sempre una recita la sua cortesia, ci teneva davvero alla salute di quella signora paffutella e ammaccata. Sarebbe sceso anche in fondo a un crepaccio per soccorrerla. Veniva dalle montagne, lui, non era un uomo di pianura. Da ragazzo si era arrampicato su una lingua di ghiaccio, in montagna, per esibirsi davanti agli amici. Poi era stato costretto a salire ancora, usando due pietre aguzze come piccozze. Era Pasqua, e il ghiaccio cominciava a cedere. Così era stato appeso a niente per tre ore, percorrendo almeno cinquecento metri prima di trovare il modo di scendere. Che follia! Non aveva neanche le scarpe da montagna ma due mocassini. Era attaccato alla vita come un disperato. Un gesto sbagliato e il vuoto l'avrebbe preso. Doveva tenere il bacino indietro, per restare in equilibrio. Perché gli tornava in mente quell'antica sbruffonata giovanile? Forse soltanto per ricordargli che lui apparteneva alle montagne e ai popoli che le abitavano. La silenziosa, antica gentilezza delle montagne. Vivendo in una città dove potevi dimenticare il freno a mano era chiaro che si era prodotta una frattura nella sua vita, non era più né di montagna né di pianura. Uno sradicamento. Un ragazzo appeso al ghiaccio senza appigli stabili.

Si era bagnato, entrando e uscendo dal negozio, dovette cambiare anche la camicia. In qualche modo l'apparizione della signora caduta aveva risolto il suo ultimo dubbio: non poteva aspettare Giulia davanti all'ingresso del suo ufficio, non sarebbe stato per niente signorile un gesto del genere. Era il gesto di un disperato, un gesto minaccioso nel suo semplice essere lì dove non era atteso. Ne andava della sua dignità, anche se non usò una parola così solenne per descriversi. Un signore sa uscire di scena, si aggiusta la cravatta, si abbottona la giacca e si allontana a testa alta, da qualunque dolore, da ogni lutto. La sua uscita di scena è silenziosa, senza sbraiti, senza piatti lanciati nel caminetto. Quando era morto il marito, sua madre aveva detto soltanto: "E così è arrivato quel giorno". Poi si era vestita di scuro e non aveva detto più niente. Non c'era proprio niente che potesse fare per Giulia, poteva soltanto decidere per sé. Aveva senso tenere aperto quel negozio? Gli affari andavano così così, e ormai anche le macchine valevano due soldi: valeva soltanto la sua metratura, che per un miracolo del cielo gli apparteneva. Era il momento di vendere? Aveva senso continuare a pagare l'affitto di una casa dove andava soltanto a fare il bucato? Quella città enorme, che pure gli piaceva, non gli serviva più a niente. Perché non tornare in montagna? Poteva raccogliere i funghi e conservarli sott'olio, o seccarli, poteva fare il miele, o marmellate, o qualcosa del genere. Poteva imparare tutto, non era mica un vecchio rimbambito. Stampare cataloghi di cucine per pagare l'affitto di una casa dove non abitava gli sembrò assurdo. Con Giulia aveva tutto un suo senso, andata via lei niente lo aveva più.

Non ne parlò neanche a Bruna, quando si videro per il pranzo della domenica. Gino sospettava qualcosa ma non riusciva a carpirgli il segreto. Con il passare dei giorni il piano di fuga gli sembrava sempre più l'unica soluzione possibile. Forse bisogna smettere di aspettare perché avvenga qualcosa, si disse con convinzione, forse l'attesa è soltanto una cerimonia iettatoria per impedire che abbia fine. Stava rilegando una tesi sull'*Orlando furioso* quando qualcuno aprì la sua porta, ma restando sull'uscio, nascondendosi quasi.

«Ciao» disse una voce sottile.

I fogli della tesi volarono sul pavimento, dove si sparpagliarono.

Giovanni cercò qualcosa da dire ma disse soltanto: «Giulia».

Lei restò sulla porta. Aveva una valigia.

«Volevo chiederti se posso tornare a casa.»

«Certo, è casa tua, certo. Entra. Raccolgo questi fogli e ti accompagno.»

«No, finisci. Prendo un taxi. Ciao. Sei dimagrito, mi dispiace.»

«Anche tu.»

Giulia era senza trucco, sembrava in effetti un po' dimagrita ma aveva un aspetto sano. Era soltanto terribilmente imbarazzata. Chiuse la porta pianissimo, come se temesse di romperla, o di disturbare facendo troppo rumore. Giovanni avrebbe voluto accompagnarla anche se lei non voleva, ma non ne ebbe la forza. Smise di raccogliere i fogli sparsi sul pavimento e dovette sedersi. Si alzò soltanto per versarsi un po' di grappa nella tazzina del caffè. I suoi miseri piani di fuga svanirono ma ora nella sua mente non c'era proprio nulla. Il vuoto. Non le aveva dato il suo regalo e in grave ritardo andò a prenderlo. Una copia unica, rilegata in pelle, cucita in filo di refe. Ma che regalo era? Con quello che c'era scritto dentro diventava un giudizio. Aveva ricevuto un pugno in piena faccia e doveva starsene seduto, immobile e stordito com'era, e lasciare che il colpo raggiungesse la profondità del cervello. Non aveva visto un fantasma. Adesso che non l'aspettava più lei era tornata. Si era messa il profumo che le aveva regalato, ora cominciava a diffondersi nell'ambiente. Una fragranza sottile ma inconfondibile. Restò seduto almeno un'ora, forse due, e soltanto lo squillo del telefono lo scosse. Era sua cugina Bruna.

«Stasera ho fatto lo stracotto, se ti va di venire» gli propose senza preamboli.

«Lo stracotto?»

«Eh, lo stracotto! Mi avevi detto di chiamarti quando lo facevo e l'ho fatto. Sta pure venendo buono a giudicare dall'odore.»

«Grazie, Bruna, davvero un bel pensiero, grazie, ma…»

«Ma?»

«Devo andare a casa, ci sono novità.»

«È tornata?!» esclamò Bruna dopo un sospirone.

«Sì, è passata di qui poco fa.»

«Che ti ha detto?!»

«Se poteva andare a casa. Aveva una valigia.»

«E poi?»

«E poi niente, ha detto che ci andava in taxi e che non voleva essere accompagnata. Mi ha detto che sono dimagrito.»

«E basta?»

«E basta.»

«E tu?»

«E io?»

«E tu non hai detto niente?»

Giovanni fece di no con la testa ma a lei giunse solo il silenzio.

«Ma qualcosa dovrà dirti! Adesso ti aspetta a casa?»

«Penso di sì.»

«Oh Signore! Ma cosa aspetti? Chiudi il negozio e vai, ti deve delle spiegazioni, non si può mica fare così… Oh Signore! Mai sentito niente del genere, il mondo è impazzito, altroché. Impazzito!»

Giovanni preparò la valigetta che usava per il bucato e chiuse in fretta il negozio. Tirò giù la saracinesca ma quando si accorse che pioveva la riaprì e prese l'ombrello. Si muoveva come un automa, lentamente. Dall'altra parte della strada la barista si sbracciò agitando la sua sigaretta accesa ma lui non la vide, e forse per la prima volta nella sua vita non rispose gentilmente a qualcuno. Aveva perso la sua identità, non avrebbe neppure saputo descriversi. Camminava, pioveva, c'era traffico laggiù, i tram correvano nel loro solito gioco di luci notturne, la città stava andando a cena, e anche lui tornava a casa. Non c'era niente da mangiare, a casa. Non era neanche abbastanza pulita. C'erano i panni stesi in soggiorno. Il giardino era morto.

Il 14 era quasi pieno, quando arrivò alla sua fermata, e Giovanni decise di aspettarne un altro. Non era uno solo, il 14, ne sarebbe presto passato un altro. Aspettò senza muoversi, come se volesse pensare prima di andare a casa. Voleva pensare ma non ci riusciva, poteva soltanto restare immobile senza degnare di uno sguardo traffico e passanti, tutti infastiditi dalla pioggia. Un anziano con l'ombrello si fermò poco distante e quando il tram arrivò salì con lui. Trovarono posto uno davanti all'altro così Giovanni si trovò a contemplare la pelata del signore anziano, che senza rendersene conto doveva aver schiacciato una zanzara proprio al centro del cranio e se la portava a casa come un'opera d'arte, con tanto di schizzo rosso su un lato. Il signore con la zanzara morta scese un paio di fermate prima della sua e quasi avrebbe voluto avvertirlo. Era già pronto col suo sorriso più servizievole e gentile, ma si impose di non farlo.

Lo sconosciuto poteva portarsi a casa la sua zanzara. Aveva ben altro a cui pensare. Si sentiva geloso, ma solo laggiù in fondo al petto, prima dei pensieri, e diffidente, offeso, ma anche contento, e soprattutto per niente curioso. Questo rallentava il suo ritorno a casa. Titoli di capitoli ma senza seguito, senza scrittura, pagine bianche che galleggiavano in fondo al pozzo. Sceso dal tram la pioggia si diradò e fece qualche passo con l'ombrello chiuso, ma due o tre gocce gli bagnarono subito i capelli e lo riaprì. Le gocce tamburellavano sul telo nero dell'ombrello e ritmavano il suo passo lento. L'asfalto bagnato rifletteva luce e forma dei lampioni e gli offriva una scintillante doppia illuminazione. Ogni tanto sul lampione riflesso cadeva una grossa goccia e l'immagine ondeggiava come per ricordargli che era soltanto un fantasma.

Il cancello invece, metallico e gocciolante, non era una fantasia ma era proprio il cancello di casa sua. E dentro le luci erano accese. Anche quella sul garage era accesa e illuminava il deserto acquitrinoso che era stato il loro giardino. Entrò come un colpevole, annunciandosi con forti colpi di tosse che suonarono falsi anche a lui.

«Buonasera» disse a nessuno. Giulia stava spostando un mobile al piano di sopra, forse il baule della biancheria.

«Buonasera» gli rispose senza mostrarsi. «Ho preso un po' di riso al vapore e pollo al curry al ristornate indiano, basta scaldarlo al microonde.»

In cucina trovò tutto pronto. Tavola apparecchiata,

acqua, vino, tutto al solito posto come sempre. La solita cena delle sere in cui facevano tardi al lavoro. Non doveva far altro che accendere il forno. Sedette al suo solito posto, con le solite ciabatte di cuoio che lo aspettavano ogni sera da anni, il solito bicchiere di acqua gassata e vino bianco come aperitivo, i soliti pistacchi. Giulia apparve dopo pochi minuti. Si era fatta il bagno e indossava la tuta da ginnastica viola che le stava molto bene. Lei riusciva a far sembrare eleganti anche abiti che non lo erano. I capelli erano raccolti indietro con l'elastico azzurro che usava sempre. Aveva gli occhi rossi e il sorriso forzato di chi non riesce a parlare. Giovanni avrebbe potuto farle mille domande: perché sei andata via, cosa è successo, dove sei stata, con chi, sei fuggita con un amante, perché sei tornata, forse ti sei stancata di Vronskij, o forse lui si è stancato di te, sei Anna Karenina, sei Kitty, chi sei in realtà. Non le disse niente neanche lui, così restarono in silenzio, finché il suono del microonde annunciò che la cena era servita. Accolsero entrambi il suono come una liberazione. Lei riempì i piatti e si sedette davanti a lui, al suo posto, e ora i loro visi potevano vedersi da vicino. Lei resistette allo sguardo meno di lui e scosse i capelli chinando il viso in avanti.

«Avrei tanto da dirti ma per certi versi niente. Perdonami. Non volevo fare del male a te e a nessuno. Anzi, il contrario…»

Lui mosse con la forchetta un pezzo di pollo e lo girò

dall'altra parte come per guardarlo bene, ma non lo mangiò e non disse nulla. Giulia invece disegnava con il condimento nella parte pulita del piatto, con la punta del coltello.

«Non mi chiedi niente?» gli disse.

«Cosa vuoi che ti chieda. Sei tu che hai qualcosa da dire.»

«Avrai pensato chissà che...»

«Certo. Ho pensato tutto.»

Lei cominciò a piangere, ma in silenzio e coprendosi il viso con le mani. Le lacrime lo innervosirono e per un attimo si sentì sul punto di esplodere con tutte le sue domande, battendo le mani sul tavolo, magari rovesciando il piatto. Fu solo un attimo, una fiammata che lo fece arrossire ma non fu in grado di aprirgli la bocca. Avrebbe voluto insultarla, dirle che non voleva gli avanzi di nessuno e che per lui poteva anche rifare le valigie e tornarsene dov'era stata tutti quei mesi. Giulia continuava a piangere in silenzio piegata sul pollo al curry e a un certo punto un ciuffo ribelle di capelli si sporcò con la salsa. Giovanni afferrò il tovagliolo pronto a pulirla ma si fermò in tempo. Non poteva toccarla, non poteva parlarle, e provando una profonda vergogna cominciò a piangere anche lui.

«Sei tornata per restare?» le chiese dopo essersi soffiato sonoramente il naso.

«Sì.»

Giovanni assentì ripetutamente col capo, come per dire che almeno un punto fermo l'avevano messo.

«Dovevo stare da sola, è stato brutto. Non ero mai stata da sola così a lungo. Non ne parliamo adesso, per favore.»

Le aveva appena sussurrate, quelle parole, ma dicendo che era stata sola aveva messo un altro punto fermo, per lui più importante del primo. Un po' scioccamente pensò che avrebbe potuto regalarle la sua *Anna Karenina*, se davvero non c'era nessun Vronskij nella loro vita.

«Ci vuole un po' di vino.» Riempì i bicchieri e prima di bere aggiunse: «Bentornata».

Lei ne mandò giù un sorso, lui vuotò il calice pensando che se lo meritava.

«Mangiamo» disse lei.

«Mangiamo.»

A vederli concentrati sui loro piatti, intenti a tagliare in pezzetti piccolissimi lo spezzatino di pollo, davano l'impressione di essere affamati ma in realtà alla fine della cena nei loro piatti c'erano sempre le stesse porzioni, soltanto tagliuzzate in frammenti minuscoli. Giovanni mangiò diversi pistacchi, l'unico gusto accettabile per il suo palato. Anche camuffato dal curry il pollo gli era sembrato immangiabile. Sì, forse era stata un anno da sola ma questo non escludeva niente. Troppi mesi per non nascondere qualche segreto. Ma Giulia sapeva nascondere un segreto? Prima avrebbe risposto di no ma adesso non lo sapeva più. Il suo viso affranto diceva che non c'erano segreti ma i segreti sono irraggiungibili quando li si vuole occultare.

All'improvviso Giulia si alzò scattando come una molla e in un attimo sparecchiò la tavola. Lui si alzò per aiutarla ma non c'era già più niente da portare via.

«Non hai mangiato quasi nulla» disse lei vuotando i piatti nella spazzatura.

«Neanche tu.»

«È vero. Sono tanto stanca.»

«Vai a dormire, ci penso io, sono due piatti.»

«No, voglio lavarli io. Lo sognavo, ci credi?»

«Sognavi di lavare i piatti?»

«Sì, mi faceva sentire a casa.»

«Li abbiamo sempre lavati una volta per uno.»

«È vero.»

Il rumore dell'acqua riempì il lungo silenzio che seguì. Ci si abituarono, Giovanni chiuse gli occhi e sprofondò nel suono piacevole di piatti e bicchieri, nei loro scricchiolii dovuti al sapone, nel profumo di pulito che emanava dal lavello. Giulia era apparentemente lenta in questi lavori ma sistematica e non si fermava mai. Anche lui desiderava quel momento di sospensione e di pace, il rassicurante suono dei piatti che tornavano docilmente al loro posto, lo stesso da sempre, lo stesso per sempre. Voleva che quel momento durasse per l'eternità e invece un suono imperioso fece sobbalzare entrambi. Era soltanto il telefono ma esplose nella casa come un allarme. Era Gino, che aveva saputo la novità da Bruna e voleva conferma.

«Sì è qui, sta lavando i piatti. È qui, è qui, ti sta ascoltando. Senti, rimandiamo i commenti a un'altra volta, ti dispiace? Un'altra volta, sì, buonanotte caro, buonanotte.»

Non sapendo che fare e che dire Giovanni andò in soggiorno e accese la tivù. C'erano i campionati italiani di biliardo all'italiana e li seguì come se l'interessassero moltissimo. Il biliardo gli piaceva ma guardare la televisione lo faceva dormire e iniziò la battaglia contro le palpebre che si chiudevano. Sistemata la cucina Giulia lo raggiunse con un libro e sedette sulla poltrona accanto a lui come aveva sempre fatto. Ogni sera lei leggeva almeno un'ora, mentre lui lentamente si appisolava sul divano. Andò così anche quella sera. I birilli cadevano davanti ai suoi occhi, qualcuno li metteva a posto, poi cadevano ancora e ancora. Tiri molto eleganti, eseguiti da veri maestri. Il commentatore, assai sobrio, parlava sottovoce: doveva essere vicinissimo al biliardo. Le bilie giravano sorridenti, battevano contro le sponde, seguivano le loro geometrie. Oltre le bilie, nella sua fantasia, Giulia si abbandonava a Vronskij in pose oscene, poi invece piangeva e i capelli le cadevano nel piatto. Come mille altre volte si addormentò e Giulia si affrettò a coprirlo con un plaid, quello di cashmere perché Giovanni non tollerava la lana comune. Il libro che stava leggendo non le piaceva molto, l'aveva comprato in stazione qualche giorno prima. Il libro non le piaceva ma le sembrava bellissimo leggerlo accanto a Giovanni che dormiva, a casa sua, con il suono delle bilie che le facevano compagnia. Si addormentò presto anche lei e dormirono sul divano fino alle tre. In televisione trasmettevano un film dell'orrore. Si guardarono intontiti dal sonno e senza pensare andarono in bagno e poi a letto, dove dormirono profondamente fino al mattino.

# 7

Quando si svegliarono si trovarono ai due bordi esterni del letto, che infatti al centro era rimasto intatto. Lei lo stava guardando da un po' quando si svegliò anche lui.

«Caffè» disse lei e corse a preparare la colazione.

Avevano così tanto da dirsi che non si dissero quasi niente. Bisognava fare la spesa, magari chiamare la signora che ogni tanto veniva a fare le pulizie.

«Sono in ferie fino a lunedì» disse Giulia senza fermarsi un attimo. Ogni cassetto che apriva era una delusione, non trovava niente. Aveva un solo fortissimo desiderio: riprendere la vita dove l'avevano interrotta. Il mondo era cambiato, anche la moneta era diversa, ma quel tempo non contava più niente per lei e se ci pensava le si serrava la bocca. Giovanni l'aveva capito dal suo sguardo allarmato nei lunghi momenti di silenzio. Lo fissava come per implorarlo: Non fare domande. E lui domande non ne fece, alla solita ora andò a lavorare, riposato come non si sentiva da tanto. Se era stata da sola come diceva, Vronskij non era mai esistito, ma come poteva esserne sicuro? Di questo nessuno poteva sentirsi sicuro. Forse la gelosia consiste proprio nel non sapere, forse è soltanto un sospetto, un dubbio. Dopo c'è Anna Karenina incinta di un altro e il dubbio finisce. Di lui Giulia sapeva quasi tutto, a parte qualche birichinata adolescenziale, ma lui non aveva niente da nascondere. Gino una volta era andato con due prostitute giovanissime, per esempio, ma lui no. Lui non aveva segreti, e gli sembrò un po' ridicolo non averne. Aveva dormito a lungo in negozio, non lo sapeva nessuno, ma che segreto era? Giulia aveva un segreto vero, e che segreto! Cosa diavolo aveva fatto tutto quel tempo? E se fosse stata veramente sola come diceva? Se lasci casa e marito per un anno e mezzo un segreto lo devi avere per forza. Non puoi stare da sola su una sedia per sedici mesi! Questo significa stare da sola. Immaginava la sua Giulia seduta davanti a un muro bianco, immobile, per giorni e settimane e tra profondi respiri si diceva che no, non era proprio possibile. E allora tornava il maledetto Vronskij, eccitato e pieno di polverine e pastiglie, e possedeva violentemente la sua Giulia, che lasciava fare e sembrava un'altra. Se anche le avesse chiesto di dire tutto, chi poteva garantirgli che avrebbe risposto la verità?

All'ora di pranzo si presentò Gino, ansioso e sorridente.

«Buongiorno. Che mi dici?»

«Ti dico buongiorno, e anche: aspetta cinque minuti che finisco.»

Gino si mise a ridere.

«Se ti vedessi! Sei proprio sotto la scritta: UN'ASINO. Sei proprio tu.»

Giovanni si voltò per compiacerlo, sapeva benissimo dove stava il cartello.

«Te lo dicevo: quella torna a casa. E tu lì a dimagrire! Le femmine tornano sempre…»

Giovanni avrebbe voluto ricordargli una bella fidanzata di tanti anni prima che il baldanzoso Gino l'aveva piantato eccome, dopo tre o quattro giorni, e non si era più fatta vedere, ma lo perdonò perché in effetti era di buon umore. Un buon umore non proprio perfetto, ma non poteva dimenticare le parole di Giulia: "Dovevo stare da sola". Sola. Parola improbabile ma piacevole. L'avrebbe capito anche senza confessione, non poteva nascondere una cosa del genere. Lo stava aspettando a casa e lui non vedeva l'ora di tornare. Anche al pranzo con Gino avrebbe rinunciato volentieri ma non voleva mostrarsi ansioso.

«Allora? Non mi dici niente?» ricominciò Gino.

«Non c'è niente da dire. È tornata, ha detto che doveva stare sola e adesso è tornata.»

«E basta!»

«Sì, e neanche mi va di parlarne.»

«Ma accidenti, un po' di curiosità ce l'avrai?»

«Ce l'ho» gli rispose alzando le spalle.

«Va bene, d'accordo…»

Il silenzio di Giovanni non se l'aspettava, ma non poteva estorcergli quello che non sapeva.

«Nel frattempo ho litigato di nuovo con la Nina» disse per cambiare discorso. E con grande sollievo del suo amico cominciò a raccontare i misfatti della signora, che occuparono anche il tempo del pranzo.

La sera Giovanni si presentò a casa verso le sette, con una crostata di albicocche presa in centro e una bottiglia di passito. Nella borsa che per mesi aveva trasportato camicie e lenzuola aveva messo anche i due grandi tomi composti e stampati da lui ma non sapeva ancora che farne. Mancavano alcuni prodotti per la casa e aveva preso anche quelli. Il giardino era illuminato, in tutto il suo squallore. Tutte le luci erano accese. La signora delle pulizie e Giulia avevano pulito da cima a fondo la casa, che profumava di nuovo. Giulia non aveva accennato alla desertificazione del giardino, ma adesso doveva averlo esaminato con cura e di sicuro stava progettando il recupero. Difficile, perché la terra stessa sembrava inaridita e argillosa, impossibile renderla fertile di nuovo. Giulia, continuando a sistemare piccoli oggetti qua e là, stava parlando al telefono con la Piccola, che volle salutare anche lui, con il tono di chi la sapeva lunga da tempo. Adesso è tutto a posto, voleva dire con la sua pacata contentezza di sapere i genitori di nuovo insieme. Un pensiero in meno anche per lei, che di pensieri doveva già averne abbastanza. Per la prima volta dopo tanto tempo si ritrovarono tutti e tre insieme e fu una bella sensazione. Venuta meno la presenza tecnologica della ragazza i due si ritrovarono nel loro imbarazzo operoso, sistemando bottiglie vuote e piene e mettendo sul fuoco il necessario per un piatto di pasta. Giulia aveva riempito il frigo di scorte generose, senza dimenticare il vino preferito di Giovanni e neppure la sua acqua minerale gassata. La crostata di albicocche troneggiava da sola al centro del tavolo non ancora apparecchiato. Soltanto per un momento Giulia si fermò davanti a una finestra e guardò malinconica il deserto che li circondava, stringendo anche le labbra per il dispiacere. Giovanni si sentì in colpa ed entrò in confusione: non ricordava neppure il nome dei fiori che aveva lasciato morire, e tanto meno avrebbe saputo dire il motivo di quella strage. Il deserto era davanti ai loro occhi, ben illuminato.

«Domani viene il giardiniere e porta la terra nuova» gli disse spegnendo le luci esterne e senza commentare. «Voglio cambiare tutto, ho diverse idee.»

«Non sono un bravo giardiniere» ammise lui.

«No, sei proprio un tipografo.»

Quale momento migliore per il suo regalo? Prima o poi avrebbe dovuto tirar fuori i due tomi di *Anna Karenina*, altrimenti a cosa era servito tutto quel lavoro? Forse poteva assumere significati sbagliati, forse non era opportuno, o addirittura poteva essere pericoloso, ma a quel punto decise di prenderli. Andò nell'ingresso, aprì la sua borsa e tornò in cucina tenendone uno per mano, presentandoli come due reliquie.

«L'ho letto!» Poi Giulia lo guardò più attentamente e aggiunse stupita: «L'editore sei tu! Copia unica?».

«Sì, l'ho copiato per te. È identico a quello che hai letto, ma con un altro carattere, e una confezione completamente diversa…»

«L'hai fatto per me?»

«Sì, non so, visto che non tornavi, ho scelto il libro più grosso e…» aggiunse con un tono diverso «non ha nessun significato particolare, non l'avevo mai letto.»

«È incredibile» disse Giulia commuovendosi, e sfogliando sul tavolo le belle pagine che dovevano aver avuto un significato profondo, per lei, e che ancora le parlavano. Era proprio quel significato che sfuggiva a Giovanni, lì si nascondevano i segreti.

«È incredibile» ripeté lei. Ma non disse il perché, della sua incredulità, come se fosse ovvio, come se ormai niente potesse più stupirla davvero. Sfogliò a lungo il primo volume, soffermandosi su alcune pagine che forse l'avevano colpita di più.

«Tu non l'avevi letto, l'hai scelto per caso…»

«Sì, era in camera, l'avrai letto non so per quanti mesi, non finiva mai.»

«È mio, l'hai fatto per me?»

«Sì.»

«Quando sarò più vecchia lo rileggerò. Adesso non me la sento. Mi hai fatto un magnifico regalo. Un'edizione di lusso, si può definire così.»

«Certo. Meglio di così è impossibile. Quella carta durerà secoli, è una vergata naturale da cento grammi, le legature sono perfette, non si rompono facilmente.»

«Chissà se diventerò vecchia. Del resto non lo sa nessuno.»

«Lo rileggerai quando ne avrai voglia. È un bel libro. Ci sono cose anche brutte, ma altre sono molto belle. Un bel romanzo.»

«Sì.»

«Almeno credo. Non è la mia specialità.»

Giulia accarezzò la copertina di pelle come per ringraziarlo ma non si avvicinò a lui. Si tenevano entrambi a distanza di sicurezza. Anche se ora si curava di meno Giulia sembrava più affascinante di prima, quel fascino che di solito Giovanni trovava nelle persone che venivano da città lontane. Non dimostrava più di quarant'anni, aveva una pelle bellissima e sana, mentre la sua cominciava a riempirsi di impurità e piccole macchie. Gli piaceva eppure non la desiderava, era a un metro da lui ma sembrava più lontana. Lo stesso effetto doveva farle lui, perché di notte non si avvicinava anche se aveva i piedi gelidi: dormivano così lontani che sembravano due estranei capitati in un albergo affollato. Al centro del letto avrebbe potuto prendere posto una terza persona e in un certo senso questa terza persona c'era, almeno nella mente di Giovanni, e si chiamava Vronskij. L'estraneo, il ricco, lo spensierato, il capriccioso, il vizioso. Anna Karenina era ancora più viziosa di lui: una morfinomane, una matta. Giulia quando dormiva restava immobile per ore e respirava normalmente, forse rallentando ogni tanto. Anche quando aveva sofferto di incubi, dall'esterno non si potevano intuire. Dopo aver letto a lungo spegneva la luce, si girava sul fianco destro e si addormentava. Anche quando nel passato facevano l'amore il gesto conclusivo era sempre lo stesso: si girava sul fianco e dormiva. Giulia amava dormire, se non dormiva era infelice e la pelle le diventava opaca. La conosceva perfettamente, in ogni dettaglio, conosceva i suoni che emetteva dormendo o camminando, ma in fondo non sapeva niente di lei. Era un'estranea che credeva di conoscere molto bene. Se hai un segreto con qualcuno ti trasformi in un estraneo, sembri quello di sempre ma in realtà sei un estraneo. L'arrivo di nuova terra e di qualche pianta già abbastanza cresciuta migliorò la loro convivenza, ritrovando un antico argomento di discussione. Giulia aveva deciso di affrontare il deserto senza chiedere spiegazioni, come se l'avesse causato un tifone, e anche di sera, chiusa in una tuta di pile, andava a fumare una sigaretta tra le sue nuove e ancora misere piante.

Non ebbero alcun chiarimento per settimane. Quando andavano a dormire ogni tanto interrompeva la lettura, che continuava a non piacerle, e sfogliava la lussuosa edizione che era stata fatta per lei. La copertina aveva un buonissimo odore, di pelle e d'inchiostro. Il suo segreto forse la tormentava, perché riposto Tolstoj cercava di riprendere a leggere il libro che non le piaceva per stordirsi. Più intensamente leggeva e prima si addormentava. Aveva ripreso a lavorare e al mattino doveva svegliarsi presto. Le loro cene venivano sempre più anticipate; si scambiavano sorrisi amichevoli, dicevano di un piatto che era buono o cosa mancava e poi se ne stavano in silenzio. Era un silenzio diverso dal solito, senza allegria. Alle dieci Giovanni già dormiva profondamente sul divano. Per alcuni giorni si era addormentato pensando alla domanda giusta da farle, dove sei stata, con chi, cosa hai fatto, ma la domanda giusta non veniva e allora non restava che dormire. Avevano tutti e due bisogno di dormire. Ma ogni sera, appena si infilavano stanchi nel letto, facevano sempre più fatica ad addormentarsi, e se ne stavano così, schiena contro schiena, a guardare il buio.

«Dormi?» chiese una sera Giovanni, sottovoce.

«No.»

«Hai la sveglia alle sei e mezzo.»

Lei ogni mattina faceva yoga, inderogabilmente, assumendo strane ma armoniche posizioni.

«Sì, adesso dormo.»

Poi cominciò a piangere, cercando di non farsi sentire. Giovanni già impugnava armi immaginarie per sgozzare quel maledetto Vronskij, perché sentiva che lei stava per parlare. Era teso come una corda, infilato stupidamente in un letto ma sveglio come un guerriero. Le lunghe gambe nervose pedalavano sotto le lenzuola. La gelosia non l'aveva mai tormentato con tanta ferocia. Vronskij era in realtà il suo direttore e se la sbatteva comodamente sulla scrivania con i pantaloni a metà. E ora Giulia piangeva, non sapeva come raccontarlo. Era stato una sola volta sulle montagne russe, tanti anni prima, e adesso si sentiva esattamente come in quella folle corsa. Credeva di aver già affrontato la discesa più impervia, ma non era così. Era sull'orlo di un precipizio e non lo sapeva.

«Non ci credevo di essere guarita» bisbigliò lei senza voltarsi. «E non ci credo neanche adesso, a dire la verità. Sono già guarita troppe volte.»

Passarono alcuni minuti che sapevano di eternità, secondo dopo secondo, pesanti come pietre. Il discorso sulla malattia sembrò a Giovanni una giustificazione preliminare e quasi non aveva il coraggio di ascoltare il resto. Lui così gentile non provò nessuna pietà. Due corpi al buio, a un metro l'uno dall'altro, che si davano le spalle nonostante l'oscurità. Il resto arrivò dopo questo frammento di eternità.

«Certe cose non si possono raccontare. Quando sono andata via di casa avevo le valigie ma non mi servivano. L'ho fatto per te.»

«Per me?»

«Sì.»

Seguì un altro silenzio. Il motivo per cui aveva fatto

le valigie era troppo lungo da spiegare e non serviva. E parlando sempre più piano, tanto che Giovanni dovette sollevare un po' il capo per sentirla, aggiunse l'essenziale.

«Ero sicura che sarebbero tornati i momenti terribili, anche più terribili, sempre di più, e anche tu li avresti dovuti attraversare e anche la Piccola. Così ho deciso di buttarmi sotto a un treno. Ho preso una camera nella pensione che usiamo in azienda per i neoassunti, è vicino alla metro. Così.»

«Così?!»

Giovanni saltò giù dal letto e andò verso la finestra, battendo forte un ginocchio contro la cassettiera. Il suo gesto non aveva alcuna motivazione pratica, non voleva andare da nessuna parte. Semplicemente il mondo gli stava crollando addosso e lui come una scimmia saltava da un ramo all'altro. Da lì poteva vedere la figura scura di Giulia che si stagliava sulle lenzuola. Immobile, consapevole del peso delle sue parole.

«Al mattino ho aspettato che arrivasse il treno e pensavo che finalmente non avrei più avuto paura di niente. Mi ero messa il tuo profumo, pensa, tantissimo. Stava arrivando, il treno, ma dietro di me c'era una signora anziana con un cagnolino, un cane grassoccio come lei, e come lei con un buffo cappottino a quadretti. Mi guardavano. E il treno è passato. Poi sono tornata il giorno dopo e il giorno dopo ancora.»

«E dopo cosa hai fatto?»

«Ogni giorno scendevo a guardare quei treni che si avvicinavano. Non so per quanto tempo. Poi sono andata da uno psichiatra dalle parti di corso Buenos Aires, e ci vado ancora. Sarebbe stato meglio per tutti, ma non ce l'ho fatta. Mi dispiace.»

«Cosa ti dispiace? Che non ti sei buttata?»

«Sì. Pensavo che non avrei mai avuto il coraggio di dirtelo e invece te l'ho detto.»

C'era un tappeto, in fondo al letto, e Giovanni ci si sedette sopra affranto, continuando così a darle le spalle.

«Ma perché se stavi bene? Te l'avevano appena detto: "Non c'è niente!". Perché non me l'hai detto subito che avevi certi pensieri? Sono un cretino, o sono cieco, dimmelo tu. Se hai due linee di febbre me ne accorgo e invece una cosa del genere… E pensare che ti ho copiato *Anna Karenina* mentre tu volevi buttarti sotto al treno.»

«Tra decine di libri hai scelto proprio quello.»

«Ma che c'entri tu con lei? Quella è una viziata, ricchissima, annoiata, cos'avevi in comune con una donna del genere?»

«Era una donna malata. Che non poteva più vivere. Mi mancavi tu, mi mancava la casa, ma mi sentivo un peso e non volevo più star male. Per mesi, per anni, ho sempre avuto paura, anche se non lo dicevo a nessuno. Una paura terribile. E dentro di me c'era una voce che mi diceva: "Buttati sui binari, è un attimo".»

Giovanni, standole vicinissimo in tutti i momenti difficili aveva sempre ammirato la sua forza di carattere, quel suo sorridergli quando la addormentavano per operarla, e poi di nuovo quel sorriso dopo quattro ore di assenza, debole, stremato, ma pur sempre un sorriso, diretto solo a lui perché lo rivedeva. Dietro quel sorriso c'era il segreto, il segreto era sempre stato vicino a lui ma non aveva saputo riconoscerlo. Soltanto adesso cominciò a provare vergogna di sé e di tutti i suoi pensieri impazziti. Pochi minuti prima era pronto a battersi con Vronskij, forse a fare l'unica scenata della sua vita, gridando e lanciando oggetti per la camera, e adesso si sentiva un verme, lungo e secco, che non sa dove rintanarsi. Usando le lunghe braccia come remi, appoggiandosi dove capitava, tornò al suo posto e si infilò nel letto.

«Sei arrabbiato?» chiese lei sentendolo di nuovo accanto a sé.

«No.»

«Ti faccio schifo? Ti faccio pena?»

«No.»

Stavolta Giovanni non le dava le spalle, era girato verso di lei e lentamente si avvicinò fino a toccarla. Quando le sfiorò i fianchi lei ebbe un sobbalzo, ma subito gli accarezzò la mano. Giulia aveva i piedi gelidi e lui come tante altre volte cercò di scaldarli con i suoi, grandi e caldi, toccandoli da sotto, accarezzando le sue piante morbide che sembravano di ghiaccio.

# 8

Come cercò di spiegare a Bruna qualche giorno dopo, da quando Giulia era tornata a casa si sentiva sempre come se avesse bevuto. Non proprio ubriaco, ma stordito, quell'effetto di un paio di aperitivi rinforzati da altrettanti bicchieri di troppo a tavola.

«L'unica cosa sicura» le disse «è che pensavo di essere intelligente e invece non capisco un cavolo.»

«Se non sai niente fai delle ipotesi, mica sei un mago.»

Le aveva parlato di uno smarrimento, di una crisi di nervi, non era sceso nei dettagli inquietanti che non avrebbe mai rivelato a nessuno neanche in confessionale. Non le disse neppure che andava ancora dallo psichiatra due volte a settimana.

«Pensavo soltanto al peggio per me, non mi ha neanche sfiorato l'idea che stesse male. Aveva i suoi buoni motivi, chi può dire di no.»

«Se una scappa ed è una bella donna come Giulia, come fai a non pensare che ha un amante. Un amante ti fai una doccia ed è finita, sarebbe stato meglio.»

«Capisco cosa vuoi dire. Ma forse una doccia sola non basta...»

«Uuuh... basta eccome, credi a me.»

Accompagnò la dichiarazione con un sorriso che era un'autobiografia, e dopo tanto tempo sorrise anche lui. Mai Bruna aveva fatto una dichiarazione tanto esplicita. Era sempre stata considerata una ribelle, in famiglia, e non soltanto a parole. A sedici anni era rimasta incinta.

«In questo periodo ho ripensato spesso a mio padre e anche al tuo, a nostro zio orologiaio, al nonno che era il più grande scagliolista del paese e della valle... In fondo facevano tutti mestieri morti, come il mio. Discendo da loro, siamo tutti rami morti...»

«Se è per questo discendiamo anche dalla scimmia» tagliò corto Bruna, che non amava la nostalgia. «Anche quelli che si credono vivi diventeranno rami morti. Goditi tua moglie e stai contento, siete ancora giovani e la vita vi sorride. Finché vi sorride!»

E giù un'altra risata. Sua cugina era un po' matta ma aveva sempre avuto una sua saggezza. Anche se non amava ricevere comandi alla fine in lei sopravviveva una sapienza antica, di scalpellini, di gente che sapeva lavorare con le mani e non con la lingua. Il loro nonno conosceva il segreto delle sette pietre, quelle che levigavano la scagliola esaltando i suoi raffinati colori.

«La prossima estate ce ne andiamo tutti insieme in montagna, se avete voglia. Belle passeggiate tra i castagni sull'Alpe Comana, belle dormite, belle cene. Le farebbe bene, alla Giulia.»

«Ne parleremo, può essere un'idea.»

Rimasto solo Giovanni pensò agli interventi che doveva fare per sistemare la casa di montagna e l'occhio gli cadde sul biglietto da visita di uno dei suoi migliori clienti. Lo aveva lasciato scrivendoci sopra anche il nome del suo commercialista per un motivo preciso: voleva acquistare il suo grande negozio. Intendeva trasformarlo in un punto vendita per i suoi mobili. Di soldi non avevano parlato ma l'interesse c'era e da quel che aveva capito non si aspettava di spendere poco. Abbandonando i suoi soliti pensieri, su Giulia e sulla casa di montagna, si immerse in difficili calcoli immobiliari, cercando tabelle indicative su Internet. Alla fine scrisse tre cifre: una discreta, una buona, una ottima. Con la cifra buona avrebbe potuto sistemare la casetta in montagna e vivere di rendita almeno vent'anni. Alla fine accartocciò il foglio con i suoi conti e si mise al lavoro continuando a pensarci. Forse si era sbagliato a ostinarsi con quella tipografia. L'epoca dei tipografi era tramontata. Anche l'epoca di suo nonno era tramontata, e anche quella di suo padre. Com'era delicato l'equilibrio dell'esistenza: non avesse avuto Giulia si sarebbe sentito disperato pensando di separarsi dal suo posto di lavoro. Con lei a casa poteva vendere tutto senza pensarci due volte.

La macchina nuova l'aveva già venduta, e non ne sentiva affatto la mancanza. Non era vecchio, poteva trovare un lavoro qualsiasi per arrotondare. Giovanni non era uomo dalle decisioni affrettate e questi pensieri gli sembravano ancora insufficienti per agire. Però il numero del commercialista del suo cliente lo conservò in un cassetto, e la sera accennò a Giulia che c'era stato un interessamento serio per il negozio.

«E poi che faresti?» gli chiese lei senza pensarci.

«Quando hai dei soldi sul conto non ti annoi mai. Potrei diventare un campione di biliardo, con tutte le partite che mi ha fatto vedere Gino dovrei aver imparato.»

I loro rapporti erano tornati normali, almeno a piano terra. Di notte dormivano come due fratelli. La primavera si avvicinava e Giulia era in ansia per le prossime fioriture, che per lei dovevano avere un significato speciale. Ogni sera accendeva le luci esterne e andava a controllare. Temeva grandine e gelate tardive, come se avesse ettari preziosi da proteggere. Quando si occupava di fiori il suo viso si riempiva di luce e gli occhi le brillavano. Giovanni non si saziava di guardarla. Giulia era forte e fragile nello stesso tempo, e priva di qualunque volgarità. Quando il direttore della rivista che stampava tanti anni prima aveva cominciato ad andare in televisione non gli riusciva più di guardarlo come prima. Prima si parlavano da pari a pari, Giovanni in fondo era un caporeparto e la qualità della stampa dipendeva da lui, poi all'improvviso si era stabilita una distanza tra loro. Andare in televisione e parlare a lungo davanti a tutti lo aveva reso diverso. La stessa cosa gli stava succedendo con Giulia. Lei era andata in luoghi inaccessibili, estremi, aveva guardato la morte in faccia, e quell'incontro si era prolungato per mesi, forse per anni, senza che lui notasse niente. La morte non si vede, la vedi solo se muori. Tornata dopo tanti mesi da quei luoghi sconosciuti portava segni invisibili in ogni parte del corpo, che la rendevano diversa da prima. Forse anche più affascinante. Aveva di nuovo i suoi fianchi snelli, com'era da ragazza. La sua terribile avventura l'aveva ridisegnata rendendola più bella. Forse questo le faceva paura. Poche ore prima che si buttasse sotto a un treno, pure Anna Karenina era stata definita molto bella da qualcuno. Anna era anche Kitty e viceversa, le loro facce si alternavano, mentre Vronskij ora era lui, Giovannino l'indifferente, l'insensibile, con quelle braccia e gambe lunghe che servivano soltanto a rompere soprammobili. Lui e Gino avevano due donne che non meritavano. Troppo belle, troppo, e infatti li invidiavano tutti da sempre. Sembrava che si chiedessero: "Ma cosa ci trovano queste due belle ragazze in due tipi qualsiasi come quei due?".

Ricordò il giorno del loro matrimonio. Durante il pranzo con gli amici Giovanni era rimasto seduto a guardare Giulia che ballava con Gino. Aveva avuto un pensiero chiarissimo sul destino che gli era capitato e si era detto solennemente: "Che culo sposare una donna così!". L'espressione non era raffinata ma il concetto era chiaro. Anche Giulia sembrava sempre più contenta di vederlo, quando si incontravano all'ora di cena. Lentamente stavano tornando vicini. Lui le scaldava i piedi e le accarezzava i capelli quando stava per addormentarsi, lei gli lavava con cura la schiena quando faceva il bagno e poi lo costringeva a pesarsi perché lo voleva esattamente come prima, anzi con un po' di pancetta, come doveva essere un uomo contento secondo lei. Si sentiva responsabile del suo dimagrimento. Si sentiva responsabile di tutto, a dire il vero, e il comportamento così limpido di Giovanni la commuoveva, ne andava fiera. Il suo uomo alto e gentile, con la sua bella cravatta un po' corta, i suoi pochi vestiti scelti con cura. Giovanni aveva le sue collezioni, anche un torchio nel sottoscala, e un tavolo luminoso come scrivania, dove si facevano certi montaggi di testi e foto, ma lei occupava i nove decimi di armadi e cassettiere e alla fine il conto era pari. Senza considerare che sul torchio lei ci teneva profumi e creme, una piccola esposizione degna di un negozio in centro. Non si considerava affatto guarita, di questo neppure lo psichiatra poteva convincerla, ma con l'arrivo della primavera si sentiva rinascere e cercò in ogni modo di sedurlo. Quante piante l'avevano sorpresa, malate o ferite, con fioriture stupende anche se parziali. Poi il buio sarebbe tornato e sarebbe stato invincibile. Sapere che sarebbe tornato le dava una strana, nuova serenità, spuntata come un fiore miracoloso in quelle lunghe chiacchierate a cui era stata costretta dal medico. Essere a casa sua le sembrava bellissimo, e ancora più bello era avere qualcuno da aspettare o che ti aspetta. Le cicatrici erano quasi invisibili e il suo corpo tonico e vivo. Giovanni lo aveva sempre amato e lo amava ancora. Doveva soltanto riprendersi dallo choc. Fiori e seduzione diventarono sinonimi, e infatti alla prima fioritura di primavera la casa fu invasa dai profumi, primo tra tutti quello dei piccoli boccioli gialli di calicanto, degno di un grande *parfumeur*. Li avevano guardati insieme sin dal primo mattino della loro fioritura, aperti sui rami nudi privi ancora delle foglie. Avevano un piccolo cuore rosso, in cui forse nasceva il profumo. Nel giro di pochi giorni si erano aggiunti giacinti e mughetti, con le loro diverse fragranze. L'aria si faceva ogni giorno più dolce, le giornate si allungavano e non serviva più il piumino. Così una sera del primo giorno di marzo al piano di sopra i profumi del giardino si confusero con i profumi del bagno, e poi con le essenze del profumo preferito di Giulia. Si ritrovarono in accappatoio accanto al letto, e lei dopo essersi ben asciugata si spogliò e si voltò nuda a guardarlo. Era ancora bella, fertile, viva, e i profumi di tutto il mondo sembravano renderle omaggio. Giovanni la guardò a lungo e percepì ancora una volta il cambiamento che era avvenuto in lei, ma stavolta la riconobbe: era la sua ragazza di un tempo e gli piaceva moltissimo. Pur vergognandosi della sua eccessiva magrezza sfilò l'accappatoio anche lui, perché forse era giusto che si guardassero nudi dopo tanti mesi. Il profumo

del calicanto e quello di Giulia si mescolavano perfettamente, nel letto le lenzuola erano appena state cambiate e
tutto sapeva di pulito. Giovanni voleva correre da lei ma
l'attesa era piacevole. Lei non fuggiva, anzi lo aspettava,
sembrava lontanissima dal volersi buttare sotto un treno
ma per un po' l'aveva desiderato in segreto, lontana da
lui e da chiunque altro. Neanche Vronskij avrebbe potuto
distrarla da quel pensiero, ben più temibile di qualunque
nobilastro. Ora stava per riaverla e niente l'avrebbe impe-
dito. Un'onda d'ansia gli salì dal petto e si diffuse in tutto
il corpo. Tutto quello che desiderava era lì accanto a lui e
la sua pelle bianca non poteva prendere freddo. Le andò
incontro e giunto davanti a lei l'abbracciò con le sue lunghe
braccia e la strinse a sé per riscaldarla e per proteggerla.
Per qualche istante si sentì forte e muscoloso, un antico
guerriero tornato vincitore dal campo di battaglia. Anche
Giulia lo vedeva così e lo accarezzava con ogni parte del
corpo, con il seno da ragazzina e con la guancia, con le
mani e con le braccia. Gli baciò anche il petto, dove tante
volte si era addormentata, e lui i capelli e la fronte, che per
la differenza d'altezza erano esattamente davanti alla sua
bocca. I capelli di Giulia, ancora umidi, gli si appiccicarono
alle labbra e lui li strinse forte per sentirne il sapore. Poi
volle vederla in viso e le baciò gli occhi e la bocca e ora
tutto profumava soltanto di lei. Anche i rimproveri che
avrebbe voluto farle aumentavano il suo desiderio, anche
quel mondo oscuro di pensioni e studi medici, anche l'o-

diato Vronskij che la possedeva come un animale, tutto questo si trasformò in desiderio, e fu lo stesso per lei. Si infilarono nel letto per riscaldarsi e restarono abbracciati a baciarsi e a guardarsi, e ripresero possesso l'uno dell'altra, sprofondando in una perfezione che avevano dimenticato e desiderato per centinaia di notti. Si amarono fino a tardi, si addormentarono ma all'alba si svegliarono e si amarono ancora come due ragazzi.

Il mattino dopo lei telefonò al lavoro per darsi malata e lui non aprì il negozio. Si resero conto che non avevano chiuso a chiave il portone, che le luci del giardino erano accese e l'allarme disattivato, e come se non bastasse anche le finestre erano quasi tutte aperte. Erano stati miracolati. Molti loro vicini erano stati puniti per disattenzioni minori. Il giornale radio del mattino avrebbe potuto annunciare disastri di ogni tipo ma la loro reazione sarebbe stata identica.

«Amore, mi passi la marmellata?»

«Il pane è abbastanza tostato?»

Lei a un certo punto, addentando la sua seconda fetta imburrata e grondante marmellata di ciliegie, gli disse con aria birichina: «Siamo somari Giovannino, oggi abbiamo marinato la scuola».

Risero entrambi e si concessero un secondo caffè. Le nuvole lasciarono passare un raggio di sole che illuminò il giardino e Giovanni annusò l'aria scherzando, riconoscendo il profumo di calicanto.

«Questo profumo mi fa uno strano effetto...»

Si amarono ancora, stavolta sul tavolo della cucina tra fette di pane abbandonate e vasetti di marmellata. Si amarono a lungo, disperatamente, e alla fine lui non ce la faceva a tenersi sulle gambe. Anche per questo continuava a restare avvinghiato a lei.

«Ma come diavolo è stato possibile» le disse.

«Ho una faccia buia e una luminosa» gli rispose, «non posso farci niente. Ma non ti muovere, restiamo così ancora un po'.» E lo strinse a sé, con le braccia e con le gambe. Il tavolo colpì il muro, con un tonfo leggero, poi entrò una vespa muratrice e perlustrò la stanza nel suo tranquillo ronzio, per nulla infastidita dalla loro presenza. I fiori cominciavano ad attirare gli insetti, fuori si aggiravano le vespe tra i piccoli fiori di calicanto. La vita era tornata nella casa.

La seconda luna di miele, come la chiamarono, durò forse più della prima. Durante le loro giornate di lavoro non vedevano l'ora di tornare a casa. Il giardino si riempì di verde e finalmente spuntarono anche le rose, piantate con tanta cura in autunno lungo la parete più assolata. Stavolta Giulia provvide a montare un buon impianto di irrigazione, utile soprattutto durante le vacanze in montagna. La Nina e Bruna andarono ad ammirare la nuova fioritura e ci fu una bella cena all'aperto, infastidita soltanto dalle zanzare. Giovanni aveva recuperato il suo peso e cominciava a esibire un accenno di pancia, della quale Giulia andava molto fiera perché "un po' di pancia significa serenità". In effetti Giovanni poteva definirsi sereno. Si sentiva così bene e in forma che era convinto di irradiare su di lei una sorta di energia positiva che la rendeva immortale. Anche la sua posizione sociale cominciò a vederla da un altro punto di vista. Forse aveva fatto un errore aprendo una tipografia, ma facendo un errore aveva trovato la soluzione. Il rancore verso il vecchio mondo professionale si era spento. La vendita del negozio era la cosa giusta da fare, perché non poteva essere più una tipografia ma soltanto un grande negozio, come del resto si era rassegnato a chiamarlo anche lui. Il valore degli immobili era sceso ma in quella zona i vecchi prezzi resistevano e doveva approfittarne. Alcune macchine che aveva soltanto in affitto poteva restituirle senza problemi, le altre o erano vecchie oppure avrebbe trovato facilmente da venderle. Non ne parlò ancora con Giulia perché voleva portarle proposte concrete da esaminare e non progetti, e non le parlò neppure di un'altra soluzione che aveva in mente per occupare almeno in parte il suo tempo. Gino lavorava in un grande studio di commercialisti e svolse un ruolo importante sin dall'inizio, facendosi carico della trattativa con l'acquirente, che pur avendo una notevole esposizione bancaria vantava un fatturato di tutto rispetto e non aveva problemi di liquidità.

«Pensavo che saresti andato in pensione stampando tesi e manifesti» gli confessò Gino, che aveva sempre trovato assurdo aprire una tipografia o come diavolo voleva chiamarla. «Non capisco che farai dopo, sei ancora giovane. Alla fine ti verranno in tasca meno soldi di quanto ti immagini. Ti basteranno? E poi: che diavolo farai tutto il tempo, tu che hai sempre lavorato fino a tarda sera?»

«Sto cercando un lavoro. Ho risposto a un annuncio come commesso in un negozio di arti grafiche, roba per pittori, serigrafie, piccole stampe, cataloghi, ma soprattutto pennelli e carta per disegnare, matite, acquerelli, queste robe qua. È enorme, ci siamo passati davanti quando siamo andati ai campionati italiani e tu volevi comprare dei colori per tua figlia che compiva gli anni…»

«Ah sì, ho capito, quando voleva fare l'artista… E ti piacerebbe?»

«Se mi lasciano tornare a casa all'ora di pranzo sì. Voglio stare di più con Giulia. Adesso sta bene ma non la voglio trascurare.»

«Certo che non si è mai capito che diavolo…»

«Lascia stare, non si può capire tutto.»

«Però sei strano: la tipografia è la mia passione, la carta da centoventi grammi, il filo del cazzo, come si chiama, i caratteri di legno, le rotative a due piani, parli di questa roba da quando ci conosciamo. Eravamo due ragazzi con le basette lunghe. E adesso all'improvviso cambia tutto. Come se fosse successo qualcosa e invece non è successo niente. Anzi, adesso le cose si sono messe bene, a casa. Ecco, non voglio vederti pentito, questo, mi dispiacerebbe vedere che poi ti penti e ti rimetti a dimagrire come prima.»

«Scusa se sono stato brusco, Gino, so che parli per il

mio bene, e poi hai fatto tutte quelle ricerche bancarie, davvero non so come farei senza di te.»

«Certo che il centone regalato da tuo zio ti ha salvato la vita, come si chiamava?»

«Zio Andrea. Senza di lui non avrei mai potuto comprare. Non sapevo neanche che li avesse, con le varie mogli e fidanzate in giro per il mondo. Però li aveva e me li ha dati senza che li chiedessi. Ha messo gli assegni circolari in una busta rossa e mi ha detto: "Tra qualche anno me li ridarai". Ma così, ridendo, senza ricevute, senza niente. Dopo tre anni è morto, poveretto. Su un treno per Berna, chissà dove andava.»

«Se non hai un po' di culo nella vita meglio spararsi. Allora va bene, andiamo avanti così, se sei davvero convinto, ma davvero davvero. Non te lo dico più.»

«Gino, se una cosa è morta bisogna seppellirla. Questo è stato il mio errore. Non puoi dire che il corpo è vivo perché un dito si muove. Quello è solo un riflesso, avrà anche un nome. Ti ricordi il rapinatore morto sotto il lenzuolo fuori dalla galleria? Alzava e abbassava il braccio.»

«Ma smettila, non me lo voglio ricordare!»

«Ecco, quello è un tipografo.»

«Quindi non sei più un tipografo.»

«No.»

«Commesso di arti grafiche.»

«Forse sì. E se tu mi concludi bene la vendita sarò l'uomo più felice del mondo.»

«Ricordati che quando andremo dal notaio non potrai più cambiare idea.»

«Tu portamici, dal notaio, e vedrai che non cambio idea.»

«Sei stato caporeparto, poi piccolo imprenditore, adesso commesso. Mi hai sorpreso, non riesco ancora a crederci.»

«Faremo una grande cena.»

E così fu. L'affare si concluse nel modo sperato e una dopo l'altra le diverse complicazioni si sciolsero. Giovanni fu assunto come commesso nel grande emporio per artisti chiamato Arti grafiche e il tutto fu festeggiato con una grande cena a casa sua. Bruna e Gino arrivarono con i rispettivi coniugi portando ulteriori bottiglie e dolci e la cucina e la sala da pranzo si riempirono di vassoi colmi di ogni ghiottoneria. Al momento del brindisi ufficiale Gino si alzò e levando il calice proclamò: «Al commesso più agiato di Milano! Che ora ci terrà un discorso».

«Ma no!» protestò Giovanni ridendo.

Naturalmente tutti in coro lo costrinsero e lui si alzò con il calice in mano.

«Che devo dire? Signore e signori, grazie per il brindisi e grazie a Gino che ha fatto un gran lavoro, grazie a tutti voi. Spero che la serata sia di vostro gradimento. Che altro devo dire?»

Stava per sedersi, ma tutti protestarono reclamando un discorso più serio.

«D'accordo. Allora. Sono stato licenziato come una zavorra inutile esattamente sei anni fa. Come sapete il mio lavoro si è estinto. E va bene. Ecco, non ho ringraziato mio zio Andrea, che ha reso possibile questo salvataggio.»

«Buonanima» commentò Bruna, che dallo zio non aveva ricevuto niente ma aveva deciso di non farci caso e sollevò il calice in suo onore.

«E anche la fortuna. Quel giorno in tribunale alle aste non c'era quasi nessuno. Ma ho aperto un'attività che non aveva futuro, più che altro per ripicca. Mi piaceva il mio lavoro. A quarantasei anni ero già estinto. Io venivo dal piombo. Trent'anni di lavoro... Sono entrato in una tipografia a diciotto anni. Il piombo era il martirio dei tipografi! Martiri della stampa a piombo, la stampa più bella mai realizzata, nel corpo vivo della carta, ma voi lettori di fotocopie non potete capirlo e non lo capirete mai. I tipografi erano i martiri della libertà!»

«Giulia, stai attenta che quest'uomo riattiva le presse che ci sono in giro per casa e riprende a stampare come un matto!» ironizzò Gino.

«Non ha neanche gli inchiostri, poverino» lo difese Giulia. «Dài finisci il discorso.»

«Ma che poverino! Lo so io quanto ha incassato!»

In realtà Gino era riservatissimo e non avrebbe mai detto la cifra, che peraltro sapevano tutti.

«Ho detto già della fortuna. Che bisogna sempre ringraziare. Ma la fortuna più grande siete voi, e quella più grande ancora si chiama Giulia. Lisa non è potuta tornare quindi facciamo un brindisi anche ai nostri figli che sono in giro per il mondo. Ai figli! Signori, il discorso è finito!»

Applausi, brindisi. Giovanni non aveva mai parlato così a lungo. Era accanto a Giulia e quando tornò a sedersi le accarezzò la mano che, lo sapeva, avrebbe trovato pronta. Sentiva il bisogno di toccarla, anche soltanto sfiorarla di sfuggita poteva bastargli in quel momento insolitamente affollato. Ogni tanto sentiva su di sé lo sguardo indagatore di Gino, che non si era lasciato incantare dagli assegni circolari e continuava a dubitare dell'allegria dell'amico. Aveva ragione, Gino: la decisione di vendere tutto e chiudere con il suo passato era stata una lacerazione dentro di lui. C'era una sepoltura da fare, l'aveva detto. Vedeva orrori tipografici dovunque, errori in prima pagina, errori dappertutto, imperfezioni, sciatterie, robaccia, ma le parole erano inutili. Anche seppellire i suoi genitori era stato brutto. Sembrava impossibile ma l'aveva fatto. E poi era tornato a casa. Questo avrebbe voluto che capisse l'ottimo Gino: era tornato a casa. La sua mente desiderava soltanto sentirsi a casa, come se il resto del mondo non lo riguardasse più. Neanche il cartello con la scritta UN'ASINO aveva conservato. La tipografia, che tutti chiamavano negozio, era stata svuotata completamente. Sui muri restavano soltanto le ombre delle sue macchine, svanite per sempre come per un'esplosione atomica. Non ricordava più com'era stata quando ci lavorava, ma solo quella desolazione, il suo ultimo sguardo prima di andarsene, come stesse partendo per un altro continente. Era diventato un semplice commesso, avrebbe fatto un lavoro che non meritava neppure di essere raccontato agli amici, ma non gli importava. Non poteva neanche immaginare cosa avrebbe fatto senza Giulia, perché lei era tutto quello che aveva, e senza di lei neanche il piccolo capitale che stavano festeggiando avrebbe avuto un senso.

Furono entrambi molto contenti della serata trascorsa con i vecchi amici e la sera a letto fecero dei progetti. Giovanni lo sognava già da tempo ma fu lei a proporre il più importante.

«Con una parte dei soldi sistemiamo la casa in montagna. Potremmo ingrandirla, mi dicevi che si può.»

«Sì, possiamo utilizzare la metratura del vecchio fienile.»

E cominciarono a disegnare nel buio la casa dei loro sogni, come due ragazzi alla loro prima sistemazione. Una camera grande per la Piccola e per il suo compagno. Un soggiorno adattabile a stanza per bambini, non si sa mai. Una serra. Giovanni scoprì di desiderare anche una piccola sauna, e ci misero anche quella nel progetto. La casa così perfezionata apparve nei sogni di entrambi, come sognati da una sola persona.

# 9

Vivevano dentro una piacevole brezza estiva che li accompagnava dovunque andassero, e chi li incontrava li trovava piacevoli e solari. Come tutti sanno, la felicità viaggia a corrente alternata e non è priva di insidie e timori, primo tra tutti quello di perdere i suoi favori. Anche se la loro unione era tornata completa e per certi versi sembrava più solida di prima, Giovanni non si sentiva mai del tutto sicuro e ogni ombra, sia pure passeggera, che gli sembrava di scorgere nello sguardo di Giulia lo agitava moltissimo. Non era mai stato un ansioso, anzi aveva sempre trovato ridicolo o patetico chi si lasciava divorare da inutili preoccupazioni, ma se Giulia tardava e non rispondeva al telefono la sua vita si bloccava. Si tratteneva dal telefonare alla polizia e negli ospedali ma i suoi occhi non si staccavano più dal cancello: andava avanti e indietro davanti alla finestra della camera, immaginando scenari sempre più tragici, malori, treni devastanti, corpi sull'asfalto coperti da un lenzuolo. Quando finalmente lei apriva il cancello sentiva subito il suo sguardo agitato fisso su di sé e lo salutava sorridendo. Allora lui scendeva le scale di corsa e l'abbracciava rimproverandola dolcemente. La batteria era scarica, oppure semplicemente non aveva sentito squillare il telefono perché era in metro, o in macchina, dove lo squillo si perdeva nel caos della sua borsetta.

Un giorno, in montagna, mentre lui stava seguendo i primi lavori della casetta, Giulia aveva dimenticato il telefono a casa ed era andata via in macchina per fare acquisti a valle, dove c'erano grandi supermercati. All'improvviso nevicò e lei restò bloccata per qualche ora. Giovanni si fece prestare l'auto da Bruna e si avventurò nelle strade innevate, rischiando più volte l'incidente. Fu durante queste corse insensate, di pura ansia senza immagini e senza pensieri, che gli tornò alle labbra un rancoroso e inesplicabile: «Quel maledetto Vronskij!». Non temeva più la presenza di un altro uomo, Vronskij riapparve senza alcuna sembianza, come entità malefica e demoniaca. Tutte quelle montagne! Quei terribili pericolosi tornanti! Il panorama intero, la neve, tutto si trasformò in pericolo di morte. Il lago, nero dietro i cumuli bianchi, gli faceva una paura terribile. Quando la sera si ritrovarono a casa, entrambi sani e salvi, Giovanni l'abbracciò così forte che quasi la soffocò, e poi si abbandonò a una furia erotica insolita per lui che stupì e fece sorridere Giulia. Anche dopo cena continuava a pensarci e ricominciava a ridere. «Giovannino si è spaventato!» ripeteva. «Giovannino è impazzito…»

«Tu puoi farmi tutto quello che vuoi» gli disse quando si ritrovarono sul divano davanti al fuoco, mentre fuori nevicava fitto e tutto profumava di neve. Giulia sentiva che la paura, ora affievolita in lei, si era trasferita in lui. Bruna e il marito non erano una coppia come la loro: erano due individui ben distinti e in eterno conflitto. Erano una coppia che funzionava a modo suo, di due elementi che si proponevano agli altri come voci soliste. Loro due invece erano fatti per passare il tempo insieme, perché soltanto così si sentivano completi. Amavano le stesse canzoni, gli stessi film, gli stessi colori, gli stessi profumi. Da ragazzi quasi si vergognavano di mostrarsi così uniti. Quando camminavano da soli sentivano un vuoto accanto a sé. Si sentivano antiquati e statici perché tutti gli altri si separavano di continuo mentre loro restavano sempre insieme. Quando andavano in montagna indossavano un poncho dello stesso colore, e camminando tenendosi abbracciati formavano un'unica grande figura. Se il sole era basso, davanti a loro si allungava un'unica ombra con quattro gambe e due teste. Giovanni se la ricordava ancora quell'ombra che li univa: erano la stessa ombra. Non parlavano quasi mai del passato, soltanto quando riaffiorava un ricordo strano se lo raccontavano. E quella sera Giovanni ne raccontò uno che non era mai riemerso nelle loro discussioni.

«Qualche volta mia madre mi prendeva la faccia e tutta seria mi chiedeva: "Ma tu sei dei Belli o dei Brutti?". "Dei belli!" gridavo io, e mi prendeva una gran paura.»

«Ma chi erano i Belli e i Brutti? Matti del paese?»

«Era un'usanza antica, io non li ho visti mai questi Brutti, che un tempo si aggiravano al buio attorno al paese. Io pensavo fossero tutti i brutti che si radunavano, anche dalla valle, e me li immaginavo spaventosi, come i mostri del cinema.»

«Non me l'avevi mai raccontato.»

«Strano.»

«Ti sei spaventato anche stasera, per colpa mia.»

«L'unica colpa è che hai dimenticato il telefono.»

«Mi sembra tutto un sogno, i lavori della casa, la neve, il fuoco…»

«Lo spumante…»

«Vero» e gli sorrise birichina. «Ogni tanto mi chiedo quanto durerà. È stupido. Non si può mai sapere.»

«Per questo bisogna fare sempre qualcosa di nuovo, una casa, un giardino, una camera per la Piccola.»

«Ma ci verrà? A lei piace abbrustolirsi al mare e vivendo lassù andrà sempre in Sardegna o in Grecia, come l'anno scorso.»

«Fa quello che abbiamo fatto anche noi. Si allontana sempre di più.»

«Sì, sì.»

«Ricordi quanto ci pesava tornare al paesello per due giorni con tutte le cose che c'erano da fare in città? È sempre stato così.»

Esaurita la lunga chiacchierata si sdraiarono davanti al fuoco sul loro adorato tappeto peloso e in attesa del sonno si lasciarono incantare dalle braci. Non se ne rendevano conto ma il loro respiro era perfettamente sincronizzato.

Si addormentarono sul tappeto, ben coperti da un piumino rosso, ma il nervosismo e la paura del giorno trascorso non dovevano essere passati del tutto nella mente di Giovanni, perché si trasformarono in uno degli incubi più brutti della sua vita. Lui e Giulia camminavano in un bosco invernale, mentre cominciava a far buio. A un certo punto, sulla loro destra c'era una panchina di legno, e nonostante fosse bianca di neve sopra c'era seduto un uomo robusto, con cappotto elegante e grande cappello nero che gli copriva la faccia. Andando ancora più avanti incontrarono un'altra persona, imbiancata dalla neve morbida. A Giovanni bastò uno sguardo per rendersi conto che era lo stesso uomo di prima. Era senz'altro dei Brutti, non mostrava la faccia. Giulia non lo notava, non vedeva l'ora di scaldarsi in un locale che dovevano aver già raggiunto. Poi la strada uscì allo scoperto per un lungo tratto, e si resero conto che la notte stava scendendo rapidamente. Giovanni si voltò un attimo e vide lontano, mentre usciva dall'ombra del bosco, lo stesso uomo di prima. Non voleva spaventarla, così la costrinse a camminare più in fretta con la scusa del buio. Entrarono finalmente in un bar malandato, dove trovarono una stufa d'altri tempi che scaldava tre o quattro vecchi in semicerchio. Giulia si mise a parlare con i vecchi, che le offrirono della polenta calda, servita da un pentolone che bolliva sulla stufa. Giovanni guardò fuori senza farsi notare e rivide l'uomo. Seduto sulla panchina degli autobus. Il cappello nero imbiancato dalla neve, che a spruzzi gli cadeva dalle falde mentre ricambiava il suo sguardo. L'ombra gli copriva il volto, che doveva essere orripilante. Disse a Giulia che sarebbe andato in bagno ma invece uscì dalla bettola per affrontarlo. Avvicinandosi si rese conto che il volto aveva una sua gelida distinzione, i suoi lineamenti erano anche troppo regolari. Si è dei Brutti nell'anima! Quell'uomo dei Brutti era Vronskij, doveva essere lui, finalmente lo incontrava. Giovanni sapeva di essere più alto di lui, forse più forte, ma andargli vicino gli faceva paura. Cercava di avanzare ma ogni passo diventava più pesante. Vronskij non lo temeva, ma non lo lasciò avvicinare troppo. Si alzò e si allontanò lentamente, voltandosi spesso a guardarlo. All'improvviso Giovanni capì chi era Vronskij in realtà, e capì anche lui che l'aveva capito. Vronskij era la morte. Non ce la faceva a raggiungerlo perché aveva le gambe pesanti ma voleva dirgli cosa pensava di lui, finalmente, e nel sogno gridò: «Maledetto Vronskij! Bastardo, pezzo di merda, mi fai schifo. Bastardo!». E gridando agitava il pugno e si sentiva mancare il respiro.

«Amore, svegliati» gli disse lei accarezzandolo, «hai avuto un incubo. Sei tutto sudato.»

«Sì, è stato brutto.»

«Adesso andiamo a letto e l'incubo non tornerà. Cosa hai sognato?»

«Litigavo con un tizio… uno dei Brutti. Si chiamava Vronskij.»

Naturalmente si guardò bene dal dirle il resto. Quei bastardi si nascondevano uno dentro l'altro.

«Vronskij? Ma quel Vronskij del libro? Non ci posso credere.» E sorrise soffiando delicatamente col naso, come faceva lei. «Ma io non ho bisogno di nessun Vronskij, ho te e non ho mai voluto nessun altro. Ecco, bevi un po' d'acqua e sdraiati, adesso ti calmo io, stai buono e chiudi gli occhi, così…»

Anche se in realtà l'incubo caotico non era altro che una buffonata, come la definì con Giulia il giorno dopo, quel ridicolo gioco di matriosche di Brutti che diventavano Vronskij e che poi si trasformavano in Morte come in un cartone animato gli lasciò un po' d'amaro in bocca. Non disse niente della Morte a Giulia, ma pensò che lo stesso avrebbe fatto anche lei, e questo lo rattristò. Avevano tutto in comune, ogni cosa era "nostra" e non "mia", come quella casa che stava crescendo davanti ai loro occhi, ma certi pensieri restavano chiusi nelle loro casseforti, senza alcuna malignità, ma anzi per proteggere l'altra parte di sé. Provava tutto questo solo in certi momenti e in modo assai confuso. Il continuo scambio affettuoso che si riservavano ogni giorno con naturalezza dominava su tutto. Lo si vedeva nella cura che mettevano nei lavori della casetta. Giulia si occupava più della piccola sauna di Giovanni che della sua desideratissima serra, peraltro seguita scrupolosamente da lui. L'aria di montagna era leggera e piacevole, anche la vita di paese lo era, ma in fondo le loro giornate scorrevano identiche dovunque.

Nel giro di un paio d'anni si inaugurò la nuova casa di legno e Giulia attivò la serra. La figlia tornò per l'inaugurazione e dormì lì con il suo compagno, il giovane ingegnere idraulico Hans Hahn, che sapendo non più di una decina di parole in italiano ebbe bisogno della costante traduzione della Piccola, che lui chiamava Lisel e non Lisa. Si fermarono soltanto due giorni e dimostrarono di gradire il mazzo di chiavi preparato per loro.

«Certo, a noi piace il mare» disse Lisa.

«Ah! Mare!» le fece eco il giovanotto biondissimo.

Partiti i ragazzi, Giulia e Giovanni ripresero la loro vita di sempre in città. Il lavoro come commesso non era pesante, qualche volta si divertiva parlando con giovani artisti che consumavano enormi quantità di colori e apprezzavano molto i suoi consigli su carte e modi originali di preparare il portfolio da portare alle fiere che frequentavano. Forse quei ragazzi sarebbero diventati grandi artisti, non era in grado di giudicarli, ma dal punto di vista grafico erano tradizionalisti e addirittura banali. Si potevano usare carte diverse per lo stesso portfolio, e magari inserire serigrafie, calcografie, quello che si voleva. Erano privi di fantasia. Anche vendere semplicemente quaderni e colori non gli dispiaceva. Gli altri commessi erano quasi tutti più giovani di lui ma nel complesso l'ambiente di lavoro era più che accettabile. Andava sempre con il 14, ma al capolinea doveva prendere il bus per un breve tratto.

Due volte l'anno Giulia doveva sottoporsi ai soliti controlli e andavano insieme in ospedale, perché Giovanni aveva stabilito che mai più l'avrebbe lasciata andare da sola, neanche per un banale prelievo del sangue o per una semplice visita. Ormai gli infermieri e i medici li conoscevano e li lasciavano entrare insieme. Erano tutti efficienti e gentili. Soprattutto quando le cose andavano bene. Giovanni, gentile con tutti, con il personale dell'ospedale era addirittura ossequioso. "Grazie professore, davvero gentilissimo." "Grazie dottoressa, e buon viaggio." "Buongiorno signor Alfio, buon lavoro." "Grazie signora, buonasera." L'ospedale aveva un comodo parcheggio e ci arrivavano in macchina, di solito di mattina presto. Si sentivano entrambi strani, andando alla visita, e anche fragili, tanto che Giovanni si imponeva di guidare con particolare attenzione per evitare incidenti. Nei momenti di traffico intenso si calmavano ascoltando la radio. Avevano paura ma cercavano di tenerla sotto controllo.

«Oggi è una giornata così» diceva lui.

«Sì.»

«Ma passerà e verrà pomeriggio e ci guarderemo un film.»

«Mi piacerebbe girare a destra e andare in montagna.»

«Venerdì ci andremo.»

«Per fortuna.»

Quando erano in difficoltà il pensiero della loro casetta li rasserenava. Giulia era nata in un altro paese, più a valle, ma si sentiva anche lei parte della storia di quella casa, e conservava come reliquie gli oggetti preziosi del nonno di Giovanni: il tavolo di ferro battuto e piano in scagliola intarsiata, raffigurante un bosco tropicale di fiori e uccelli coloratissimi dalle lunghe code; i due busti in gesso di antichi pensatori che usavano come attaccapanni; l'ovale con la baita di pietra e le montagne dietro, con il cielo azzurro brillante impreziosito da piccole nubi bianchissime. Erano oggetti fuori misura per la casa e cambiavano spesso posizione senza trovarne mai una definitiva, ma in nessun caso se ne sarebbe liberata. Mentre faceva la TAC chiudeva gli occhi e riusciva a ricordare quasi ogni dettaglio del tavolo. Il pappagallo rosso e blu, il tucano dal grande becco, il feroce ma elegante sparviero. Pennuti e fiori grassi e aperti, che creavano un'illusione di profumo tanto erano belli. Lei non l'aveva neanche conosciuto, ma era nonno anche suo e ne andava fiera, per la sensibilità verso la natura e per le grandi capacità artistiche che gli attribuiva.

Non parlavano delle visite di controllo con nessuno, ma ne parlavano molto tra loro perché Giovanni voleva leggere ogni parola scritta dai medici. Se non capiva qualcosa si documentava. Fossero state le sue non le avrebbe studiate con la stessa scrupolosa concentrazione. C'erano piccole tracce di qualcosa, ma niente di pericoloso, se non in una lontana prospettiva, che però andavano seguite con attenzione.

«Ti ricordi *Alien*?» gli disse una sera quando erano già a letto. «Io mi sento così, con un mostro dentro.»

«Ti senti così ma il mostro non c'è.»

«Però io ho paura.»

«Abbiamo tutti paura. Ti ricordi le facce in sala d'aspetto? Hanno tutti paura. L'unica cosa stupida sarebbe non ammetterlo.»

«Io lo ammetto.»

«Allora adesso diciamo che abbiamo paura e per un po' abbiamo paura. Bisogna fare così.»

«Chi te l'ha detto?» Ma la sicurezza di Giovanni le aveva già strappato un sorriso. Il bello è che lui diceva sul serio.

«Nessuno, lo so. Se è il momento di cagarci addosso…»

«Ma senti che modo di parlare!»

«È da tipografia, scusa. Non so cosa ti dice lo psichiatra e non voglio saperlo, però questo lo so. Guardiamola in faccia questa paura.»

Pensò che in realtà la paura era come Vronskij, non si lasciava guardare in faccia.

«Ho paura della morte. Di stare chiusa dentro una bara.»

«Ecco, brava. Fa molta paura in effetti. In qualunque momento ti venisse in mente che hai paura della morte vieni da me e me lo dici.»

«E poi?»

«E poi niente. Così ho paura anch'io. Non devo recitare, credimi, ho anch'io le mie paure.»

«Per me?»

«Sì, non per la malattia che temi tu.»

«Lo so. Giovannino è traumatizzato.»

Soltanto nel buio assoluto della camera riuscirono a parlare con assoluta chiarezza e ne trassero qualche conforto, tanto che lo adottarono come metodo. Si lasciarono andare alla paura tenendosi abbracciati come due bambini. Giulia pianse un po' per le macchie della TAC e lui baciò ogni lacrima, lo stesso sapore che sentiva da bambino quando le lacrime gli scendevano in bocca calde e salate. Erano anche sue quelle lacrime, abbracciati così formavano un unico corpo. Fu un piccolo pianto, che si trasformò in un amplesso lunghissimo a cui si abbandonarono completamente, sprofondando insieme nello stesso sonno e forse anche nello stesso sogno. Al mattino aprirono gli occhi quasi nello stesso momento. Li circondava un buon profumo e il loro corpo era un unico corpo. Un merlo intonava il suo canto di guerra in giardino, la luce del primo mattino accarezzava la stanza, disegnando buffe ombre sul soffitto. Si scambiarono un bacio ancora un po' addormentati, semplicemente appoggiando le labbra sulle labbra. Respiravano insieme. Erano felici. Non si rendevano conto che il loro nuovo metodo implicava un totale distacco dal resto del mondo e dalle sue vicende. Campagne elettorali, crisi economiche, tragedie, guerre, ma anche i più semplici fatti della loro città, tutto finì sullo sfondo. Quando una pianta creduta perduta si rianimava nella serra e offriva i suoi fiori inattesi, allora esplodeva la felicità, e il sole attraversava il cielo azzurro da est a ovest, come per confermare l'orientamento della loro nuova casetta di legno, pensata con cura in ogni dettaglio. Dei sette miliardi di terrestri, quelli che entravano davvero nel loro campo visivo si contavano sulle dita di una mano.

## 10

Passarono alcuni anni senza grandi cambiamenti. Quando la TAC segnalò complicazioni non più rinviabili si programmò un nuovo intervento che i medici definirono "statisticamente utile" ma che andava affrontato serenamente perché avrebbe risolto il problema prima ancora che si presentasse. Giulia ebbe una strana reazione e si dimostrò più forte della sua paura. Come notò subito Giovanni, aveva paura quando stava bene e sapeva farsi coraggio quando stava male. Per questo l'ammirò ancora di più, senza bisogno di parole, solo con gli sguardi. La paura non era scomparsa, si era semplicemente trasferita in lui.

«Lo sapevo che sarebbe successo» si limitò a dire Giulia.

Si salutarono con un bacio davanti alle porte del blocco operatorio e affrontarono senza mai separarsi le giornate che seguirono. Poi ringraziarono medici e infermieri, con qualche eccesso da parte di Giovanni, e tornarono a casa. Giulia doveva affrontare altre terapie, così ottenne un lungo permesso e successivamente le fu concesso di lavorare da casa, tra le prime in città a ottenere quel che veniva considerato un privilegio. Per diversi giorni parlarono dell'ospedale e delle persone che avevano incontrato. Si resero conto che ognuno aveva la sua storia e forse anche qualcosa che assomigliava a un destino. Neppure la stessa malattia produceva effetti identici in persone diverse, anzi poteva comportarsi in modi opposti. Le percentuali venivano rispettate ma i singoli casi potevano avere evoluzioni imprevedibili. Averlo capito li tranquillizzava ma nello stesso tempo li agitava. Era più facile prevedere il destino di mille persone che di una soltanto. Dopo aver scambiato un paio di telefonate con una vicina di letto, le persone conosciute in ospedale scomparvero rapidamente nel nulla, tornando a essere gli sconosciuti che erano. Alcuni di loro sarebbero sopravvissuti, altri no. Saperlo faceva bene e faceva male. In quel grande e da Giovanni lodatissimo ospedale si respirava la paura come fosse un odore tra gli altri. Nei loro periodi ospedalieri dividevano il mondo tra chi aveva paura e chi non sapeva di averla e se ne andava felice qua e là prima di piombare come gli altri nella stessa angoscia. Soltanto la dolcezza della loro casa in montagna riusciva a scuoterli da quella sensazione. In autunno, ormai di pochi anni fa, durante una passeggiata in un stupendo faggeto presero la storica decisione di lasciare la città per trasferirsi dove si sentivano bene.

Giovanni lasciò il lavoro e l'impegno più gravoso per entrambi fu il trasferimento dei fiori del giardino, trapiantati in montagna attorno alla casa o nella serra. Il marito di Bruna mise a disposizione uno dei suoi due capienti furgoni e con quello, in diversi viaggi, trasportarono fiori e oggetti delicati, come lampadari, servizi di piatti e bicchieri. I mobili inutili finirono in un negozio dell'usato e lasciarono la casa di città poco alla volta, quasi senza accorgersene. La cifra risparmiata per l'affitto compensava il piccolo stipendio perduto di Giovanni e il loro futuro si prospettava sereno, anche dal punto di vista economico. Una serra per fiori e piante tropicali comportava un notevole impegno, ma stava diventando bellissima e quando Giulia si chiudeva lì dentro Giovanni stava a guardarla per ore attraverso la parete di vetro.

In paese erano abituati a vederli da anni durante i weekend e nessuno si accorse del trasloco. Ma Giovanni e Giulia impiegarono diverse settimane ad abituarsi. Il 14 era scomparso dalla loro vita, e anche trattorie e negozi frequentati per anni, svaniti, tutto scomparso. Laggiù spuntavano grattacieli, lassù cresceva il ciliegio giapponese. Di solito la domenica sera caricavano la macchina per fare ritorno in città, ora non dovevano più partire perché sarebbero rimasti lì per sempre. Quando uno dei due usò per la prima volta le parole "per sempre" restarono in silenzio a lungo, come se volessero ascoltare l'effetto che facevano davvero dentro di loro. Ne parlavano da anni. Pensavano che sarebbe avvenuto più in là nel tempo e invece era accaduto all'improvviso. Passò il primo lunedì, poi il secondo e poi diversi altri, sempre meno lunedì e sempre più giorni qualsiasi. In effetti si erano fermati per sempre. E queste parole con il passare dei mesi suonavano via via più dolcemente alle loro orecchie. Gli alberi da frutta crescevano nel piccolo appezzamento di terra che circondava la casa, crescevano fiori dovunque, in serra e fuori. Bruna e il marito si facevano vedere almeno due volte al mese, e altrettanto facevano Gino e la moglie, che si fermavano a dormire nella camera di Lisa. Dopo cena giocavano a carte o guardavano un vecchio film. A dire il vero il film lo guardavano Nina e Giulia, perché i due uomini non raggiungevano mai il secondo tempo e dormivano uno sbilenco sulla poltrona e l'altro con la testa appoggiata alla spalla di Giulia e le braccia conserte come per darsi un contegno. Le passeggiate nei boschi, il tepore del fuoco scoppiettante e le grappe del dopocena facevano il loro effetto.

Di questa piacevole routine l'unico evento di rilievo fu l'arrivo di Pulce, regalo natalizio di Nina e Gino.

«Lo so che regalare animali è da stronzi!» annunciò Gino scendendo dalla macchina. «Ma quando partite lo potete lasciare da noi ché la Nina si è innamorata…»

Apparve così, custodita nell'ampia borsetta di Nina, una

minuscola cagnolina pelosa, che guardava tutti piuttosto agitata con le orecchie tirate su come due radar. Occhi e naso erano tre puntini neri immersi nel bianco. Quando la lasciarono libera in soggiorno andò a zampettare incuriosita attorno alle scarpe di Giovanni, che annusò a lungo. Accanto a Giovanni le sue dimensioni apparivano ancora più ridotte, un nulla di pelo con due puntini neri brillanti.

«Ma non è un cane!» scherzò Giulia. «È una pulce!»

E su due piedi decisero di chiamarla Pulce. Bastò chiamarla così qualche volta e lei cominciò a rispondere. Gino tirò fuori il libretto sanitario con tanto di pedigree e lesse solennemente: «È una maltesina toy nana. Discende da un pluripremiato, è un'aristocratica».

«È un amore!» esclamò la Nina rincorrendola con un rotolo di carta in mano. «Mi piange il cuore lasciarla, in due giorni mi ha fatto tanta compagnia… vieni qui, amore!»

«Amore…» squittì il marito arricciando le labbra. «Costa anche dei bei soldi la contessina!»

«Gino!» lo rimproverò la moglie, con l'espressione schifata che tutti le conoscevano. Gino ci godeva a sentirsi criticato, regolando in questo modo le loro antiche questioni.

«Voi due avete una fortuna sfacciata» continuò Gino rivolto ai loro ospiti e ignorando ostentatamente la moglie. «Ve ne siete venuti quassù nel vostro castelletto lasciando i comuni mortali giusto in tempo. Non potete immaginare quanti fallimenti seguiamo in ufficio, sei o sette alla settimana.»

«E quale sarebbe la nostra fortuna?» chiese Giovanni.

«Riguarda te in particolare, amico caro! Sei tu l'eletto. Ce l'hai grosso come un capannone industriale, come un campo da calcio. Un culone! Lo sai cosa succede al grande mobiliere che ha comprato il tuo negozio?»

«È morto» disse Giovanni accarezzando la cagnetta, che se ne stava buona su una mano come fosse un peluche.

«No, peggio. Sta andando a gambe per aria anche lui... Mercedes e autista compresi. C'è chi dice che sta scappando con gli ultimi soldi, in Paraguay o non so dove. Hai capito, caro il mio fortunello?»

«Ma come è possibile, aveva un sacco di soldi.»

«Ah, ma ancora di più doveva restituirne alle banche. Sapessi a che velocità si muovono i soldi! Non ho mai visto niente del genere. E non finirà mica così. Secondo me non ci capisce niente nessuno.»

«Tanto meno tu!» lo interruppe la Nina. «Non state a sentire, ripete quello che sente alla radio quando si fa la barba. La cagnolina mangia un cibo speciale, ne ho portato un po', ha la bocca molto piccola poverina! Ma non è dolcissima?»

«L'arrosto è pronto, quando avete fame potete sedervi» annunciò Giulia.

«Se falliscono tutti, anche i commercialisti se la passeranno male» aggiunse Gino affrettandosi però verso il famoso arrosto di Giovanni. «Cosa stiamo a fare lì se nessuno deve dichiarare più niente?»

«Certo, c'è la pappa anche per te» lo interruppe ancora la Nina. «Ma siete sicuri di volerla chiamare Pulce? Pulce! Tesoro!»

Giovanni seguiva poco i dibattiti televisivi e scorreva i titoli dei giornali solo quando andava al bar, quindi le parole di Gino lo colpirono molto. Ne parlò con Giulia quando andarono a letto.

«Sarebbe giusto pensare anche ai meno fortunati di noi» le disse, «ma a che servirebbe? Pensavo a quelli che lavoravano con me, a quelli che vedevo in mensa tutti i giorni…»

Lei apprezzò il pensiero di Giovanni e gli sorrise stringendogli la mano.

«Io e te non possiamo fare niente di sicuro. Ma è giusto pensarci.»

«Egoisticamente… ho pensato che noi siamo a una bella altezza quassù e che neanche l'inondazione del Nilo ci arriverebbe.»

«Voglio rileggere *Anna Karenina* scritto da te.»

«Insomma, non direi scritto: copiato. Ma spero bene, senza troppi errori.»

Forse il mondo era sull'orlo dell'abisso, le banche e le aziende fallivano, ma gli errori in un testo stampato continuavano a sembrargli il delitto più grave. Il tipografo non è legalmente responsabile degli errori che stampa, la figura del proto era stata la rappresentazione di un destino, il segno di un coinvolgimento morale. Giulia prese il libro, che teneva sempre sul suo comodino, e lo sfogliò delicatamente come se temesse di sciuparlo.

«Penso sia il regalo più bello che abbia mai ricevuto.»

Giovanni cominciò a ridere perché la porta della camera, lasciata socchiusa, si aprì lentamente e un altro regalo piombò sul loro letto.

«Pulce! Ma sei bellissima, anche tu sei un regalo stupendo!» disse Giulia accogliendo la cucciola scodinzolante, che andò a sedersi sulle pagine del libro. «Forse non vuole stare sola, vero Pulce?»

Come era prevedibile la cagnolina non si sarebbe mai separata da loro. Dormiva nel loro letto, quando si stancava di passeggiare adorava essere portata nella borsetta di Giulia, sbucando fuori solo con la piccolissima testa. Le piaceva guardare tutto da lì, cani, case, persone, gatti. Nessuno si accorgeva della sua presenza neanche in pizzeria. Ogni tanto riceveva un minuscolo assaggio ma non abbaiava e neppure si lamentava. La borsetta di Giulia era la sua seconda cuccia. Giovanni era invece il suo compagno di giochi quando erano a casa. Pulce era intelligente e agilissima. Imparò a saltare in un cerchio di plastica come al circo e Giovanni la esibiva volentieri davanti agli amici. Ma anche con Giulia aveva un ottimo rapporto. Quando lei si chiudeva nella serra Pulce si sistemava su una vecchia poltrona e la fissava con grande curiosità, quasi con ammirazione. Guardandole dal giardino Giovanni si sentiva così felice da averne paura.

Immaginava la felicità come un castello di carte, bellissimo ma instabile e provvisorio. Niente dura per sempre, tanto meno una condizione così fragile come la felicità, che per lui significava non desiderare nient'altro. I grandi artigiani, i maestri di infiniti mestieri, i possessori del segreto delle sette pietre, i tipografi, il conte che aveva scritto *Anna Karenina*, erano tutti scomparsi. Anche i nuovi sarebbero scomparsi. Probabilmente doveva essere così e bisognava prenderne atto. La sera, dopo cena, parlarono della morte, con una strana leggerezza.

«Non credo che si apra un mondo sconosciuto» disse Giovanni bevendo una grappa. «Si torna come prima di essere nati, che è difficile dire cos'era. Ma la vita continua e noi ne facciamo parte. Vengono altre formiche, identiche alle precedenti, ma non lo capiranno e magari si sentiranno diverse. E così via, finché ci sarà vita.»

«Come quando ti addormenti per l'anestesia?»

«Qualcosa del genere.»

«Non è così terribile.»

«Forse no. Il corpo sa che il suo ciclo è finito.»

«Come i fiori, le foglie.»

«Come tutto.»

Giulia sorrise, anche perché Pulce era saltata sulle sue ginocchia con agilità sorprendente.

«Però per certi versi… chi se ne frega se la vita continua.»

«Giusto!» E rise anche lui.

Allora Lisa aspettava il suo primo figlio, ma ancora non

l'aveva detto ai genitori, per scaramanzia. Quando nacque, sei mesi dopo, i nuovi nonni si precipitarono in Germania e fecero i conti con la vita che continuava. Scoprirono che quel piccolo essere sgambettante, mezzo tedesco e mezzo italiano, li riguardava molto. Tornando in aereo si sentivano più leggeri. Ora che la Piccola non era più piccola e aveva un suo bambino, le loro preoccupazioni si affievolivano e passavano ai nuovi genitori. L'unica preoccupazione che espressero riguardava l'altezza del bambino, decisamente superiore alla media.

«Se diventa troppo alto giocherà a basket» stabilì Giovanni. «Magari in Italia, se torneranno in Italia.»

«Non torneranno» disse lei serenamente. «Ha ragione tua cugina. Non hai sentito come parla, Lisa? Deve tradurre perché ormai pensa in tedesco.»

Il problema dei vaccini, i pannolini da cambiare, le pappe, le coliche gassose e tutto il resto non li riguardavano più. La Piccola era diventata una donna. L'avevano trovata più posata, serena, felice della nuova avventura.

«È più bella anche di viso» disse il padre.

«Speriamo vadano d'accordo. Hans è un bravo ragazzo, hai visto quanto è premuroso, sparecchiava, andava a fare la spesa, le ricordava le medicine.»

Giovanni fece sì con la testa, abbastanza convinto, poi le prese la mano e sorrise.

«Non abbiamo neanche sessant'anni e siamo già nonni, dài che non possiamo lamentarci.»

«Guarda giù, sono le Alpi?»

«Credo di sì. Siamo quasi a casa.»

«Che bel viaggio, è stato tutto bello. Il bambino, la città, la casa. Mi è piaciuto tutto. Le persone in bicicletta, i parchi... Stanno bene, lì.»

L'aereo cominciò la lenta discesa verso l'aeroporto e non si dissero altro. Continuarono a restare in contatto attraverso le mani. Si conoscevano bene, i loro polpastrelli perlustravano o accarezzavano le dita amiche, o le intrecciavano e le stringevano come per verificarne la tonicità. Attraversarono una grande nuvola, sopra la città ormai ben visibile, e l'aereo diede qualche leggero scossone che non li preoccupò affatto. Appena atterrati il primo pensiero fu per Pulce.

«Chissà quanto le saremo mancati» disse Giulia.

«Ma no, la Nina l'avrà viziata, saranno andate al parco chissà quante volte.»

«È vero, però sono contenta che stasera ce la riportiamo a casa.»

«Accendiamo la sauna?»

«Accendiamo la sauna.»

Pochi giorni dopo apparve sul prezioso tavolo del nonno la grande fotografia del nipote, sorridente in una lucida cornice color corallo. Al mattino facevano colazione davanti al suo sorriso sdentato.

«Certo che è bello robusto, oltre che lungo» disse Giulia.

«È un uomo di montagna. Verrà forte come il nonno e come il bisnonno, che era il più forte di tutti.»

Venne un nuovo inverno, che fu particolarmente freddo e nevoso, tanto che restarono bloccati in casa per giorni. Passavano soltanto i mezzi di soccorso e quando il tempo lo permetteva qualche elicottero. Due ragazzi in divisa passarono per chiedere se era tutto a posto e Giulia offrì a entrambi della cioccolata calda. Quando andarono via Giovanni li ringraziò e li lodò per il loro impegno.

«Noi siamo ben organizzati e non abbiamo bisogno di niente» li rassicurò sulla porta.

In effetti Giovanni aveva pensato a tutto per tempo. Con la pala teneva pulito il viottolo che portava alla serra e l'uscita del garage. Ora guardava la serra dal soggiorno, Giulia al suo tavolo da lavoro, impegnata in misteriosi innesti, e la cagnetta che la spiava, seduta sulla poltrona di vimini. I fiori e le piante verdi, che formavano un fitto boschetto, risaltavano nel bianco della neve e lo commuovevano. Ma davvero era tutta per lui quella bellezza? Come l'aveva meritata?

Giulia gli aveva insegnato degli esercizi per la schiena e di solito li eseguiva quando lei faceva yoga, ma quella sera li ripeté tutti di nuovo sul tappeto della sala da pranzo. Tra un esercizio e l'altro guardava le due creature nella serra e si sentiva perfetto. Voleva tenersi in forma, stare bene, godere al massimo di quella perfezione.

Fu un inverno bellissimo. Ripresero a fare sci di fondo,

percorrendo una lunga vallata tra le montagne, ammirando piccole chiese di pietra, cervi e volpi rosse veloci. Scoprirono anche una cascata gelata e ne restarono affascinati come due bambini. Accarezzando i getti d'acqua immobile, simili a canne d'organo, parlarono del tempo che passava, sempre più in fretta.

«Ti piacerebbe essere come questa cascata?» le chiese Giovanni. «Per lei il tempo si è fermato.»

«Vorrei che si fermasse adesso.» E dicendolo gli sorrise il suo sorriso più bello. Le brillavano gli occhi sotto il cappello colorato di lana, fiorito come la sua serra. Avrebbe voluto dirle: Guarda che il tempo si è fermato perché tu sei bellissima come quando ti ho conosciuta. Non ebbe il coraggio di dirlo ma la baciò e lei capì perfettamente, perché aveva imparato a vedersi attraverso i suoi occhi. Erano grandi, gli occhi di Giovanni, quando li guardava a lungo le sembrava di sprofondarci dentro. La sera cenarono in una malga, affamati come i ragazzi loro vicini di tavolo, e poi dormirono profondamente fino alle dieci del mattino. Come succedeva spesso, si svegliarono a pochi minuti di distanza uno dall'altra. Quando Giovanni aprì gli occhi vide che Giulia lo stava guardando e per la prima volta dopo tanto tempo sembrava preoccupata.

«Mi sono svegliata così contenta e poi all'improvviso ho avuto paura» gli disse.

«Paura di che?»

«Prima per il bambino, poi ho pensato che era successo qualcosa a Pulce.»

«Se vuoi telefoniamo. Così ti tranquillizzi. Il bambino ieri stava benone, Pulce è a casa di Bruna.»

Lei chiuse gli occhi e assentì con la testa.

«Telefoniamo? Sono le dieci passate e non disturbiamo nessuno. Vuoi?»

Senza aprire gli occhi lei fece segno di no. Giovanni la accarezzò e non le disse altro. Si vestì e scese a prendere il vassoio della colazione. Bevevano la stessa quantità di caffè, al mattino, e mangiavano esattamente le stesse cose.

«Forse in realtà sono preoccupata per me, credo che il dottore direbbe così.»

«Forse sì.»

Ora anche Giovanni sentiva qualcosa: un'ansia sottile che partiva dalla pancia come una scossa elettrica e attraversava con vampate regolari il dorso e le braccia. Perché era lì che si era nascosta, era lì che abitava.

«Oggi abbiamo paura, d'accordo» le disse. «Però ieri abbiamo toccato una cascata gelata ed era bellissima. Anche questo è vero.»

## 11

Quei giorni in montagna, a due passi da casa, li ricorda-
rono a lungo. L'inverno passò abbastanza presto quell'anno
e una strana primavera anticipata stupì tutti. Nel bar del
paese e nei pochi negozi non si parlava d'altro. Qualcuno
si era già sbarazzato dei piumini mentre altri, più pru-
denti, ancora li usavano, ritenendo le primavere precoci
assai ingannatrici. La neve si ritirava sempre più in alto
sulle montagne e gli uccelli ripresero a cantare. Giulia era
indaffaratissima, sia nella serra che nel giardino che andava
risvegliandosi. Pulce non la perdeva mai di vista, ma ogni
tanto correva da Giovanni e gli portava una pallina, come se
giocare fosse più importante per lui che per lei. Mantenere
casa e giardino in ordine li impegnava per ore e Giovanni
si chiedeva come avrebbe potuto fare un altro lavoro.
Anche se non avevano voluto recintarlo, il loro giardino

era quasi un ettaro di terra e a volersene occupare seriamente si doveva lavorare sempre. Giulia passava qualche ora davanti allo schermo del computer ma non le pesava affatto, anzi le faceva piacere scambiare due parole con le colleghe che la invidiavano. Ci si disabitua facilmente ai ritmi della città, quasi scomparsa dai loro pensieri: la città era l'ospedale che li attendeva per i temutissimi controlli, nient'altro. Un richiamo dalla realtà giunse a Giovanni attraverso la telefonata imbarazzata di un vecchio collega, tale Armando Foresti, ex tecnico della sua fotoincisa. Lui non aveva un negozio da vendere e dopo un paio di lavori andati male si ritrovava sul lastrico. La sua casa era stata pignorata. Dopo averlo aggiornato Armando non gli chiese un prestito importante, ma soltanto un piccolo aiuto. Giovanni si sentì in colpa per non aver mai pensato al destino delle persone che avevano lavorato con lui per tanti anni. Quella di Armando poteva essere la sua stessa storia. Senza Giulia, che l'aveva incoraggiato a comprare il negozio, e senza suo zio che gli aveva regalato dei soldi, sarebbe precipitato nella miseria e nella cupezza, avrebbe dovuto anche lui fare telefonate come quella che aveva ricevuto. Il mondo poteva diventare un buco nero che ti risucchia, senza nessuno che ti aiuti. Lui era stato aiutato da una famiglia, passava il suo tempo con una donna meravigliosa in una casa sempre più bella, mentre Armando era laggiù, in attesa di un tram da qualche parte, per andare chissà dove a tentare chissà quale fortuna.

«Tu cosa gli hai detto?» chiese Giulia quando le raccontò la telefonata.

«Che l'avrei aiutato. È un bravo ragazzo, un gran lavoratore, preciso. Un buon collega. Mi sono scritto l'IBAN, ma non voglio dargli una mancetta.»

«Certo che no. Dagli quello che ti senti di dargli.»

Subito dopo pranzo Giovanni andò in banca con la sua bicicletta nuova e gli versò cinquemila euro. Armando sarebbe stato contento di riceverne anche cinquecento, ma proprio per questo lui aveva aggiunto uno zero. Vive chi ha fortuna, pensò, gli altri possono soltanto sopravvivere. C'era anche della superstizione, in quel gesto, doveva ammetterlo. Voleva ingraziarsi gli dei, condividere almeno in parte quella buona porzione di vita che il destino gli aveva riservato dopo tante delusioni. Molte persone percepiscono la felicità soltanto quando è passata ma Giovanni, secondo lui per una sorta di spirito delle montagne, ne aveva invece una percezione esattissima. Aveva una bicicletta nuova, una moglie che sembrava la Venere del Botticelli apparsa nel calendario del mese, pari pari, sciava tra cascate di ghiaccio, vedeva il sole sparire nel suo bagliore rosso tra le montagne e sul lago, che era un ghirigoro di strane insenature, come una macchia scura nel verde. Pedalando continuava a guardare lo stesso panorama che aveva visto nascendo e non gli sembrava di pedalare soltanto per sé ma anche per tutta la sua famiglia, per suo padre e sua madre, per i nonni, per lo zio Andrea il rivoluzionario che gli aveva regalato tutti quei soldi. Guardava il lago e le montagne e attraverso di lui guardavano anche loro. Giulia era rimasta a casa con i fiori da curare e gli mancava: avrebbe voluto averla accanto, con la sua bicicletta rosa. Chissà cosa stava facendo in quel momento. Cercò di ricordare i nomi dei suoi fiori ma non ci riuscì che in piccola parte. Ripeteva i loro nomi decine di volte, se li faceva ridire quasi ogni giorno da Giulia ma dopo pochi minuti li dimenticava. Gli sembrava assurdo che dei semplici fiori avessero tutti quei nomi pomposi. Che se ne facevano dei nomi? Narciso, calicanto, viole, caprifoglio, fresie e mimose, e poi nella serra era come andare all'estero, le misteriose phalaenopsis, l'anthurium il superbo, la kenzia, il ponciro, e ancora fuori il bellissimo ciliegio giapponese, le sacre rose dai nomi sterminati. Giulia aveva bisogno di circondarsi di cose belle. Non le piacevano i gioielli ma adorava i fiori, le passeggiate nei boschi, rendere più piacevole la casa con mobili e oggetti scelti con cura. Tutti trovavano piacevoli i fiori, ma lei ne aveva bisogno, come se si identificasse in quei bulbi misteriosi, che a un certo punto lasciavano spuntare una fogliolina verdissima, o quelle sedie di legno che quando le accarezzavi ti facevano sentire a casa. Mentre in lui l'ansia, apparsa così tardi nella sua vita, poteva trasformarsi in cupezza, in lei diventava vitale. Anche da studentessa la sua camera, modestissima, portava la sua impronta personale, una luce velata da un foulard, un piccolo tappeto, un minuscolo quadro che rappresentava un bel mazzo di fiori.

Era uscito in bicicletta da un'ora, compiendo il gesto significativo del bonifico, ma aveva sempre pensato a Giulia. In effetti nelle ultime settimane non si erano mai lasciati così a lungo. La loro simbiosi era perfetta. Quando lui frenò per entrare nel cancello lei già lo guardava da lontano, incuriosita, come se nel frattempo fosse cambiato in qualche dettaglio. Anche Pulce lo accolse con entusiasmo ed emettendo strazianti guaiti gli fece la pipì sulla scarpa.

Non parlarono più del dono che avevano fatto ma fecero altri progetti.

«Ci ho pensato mentre tornavo a casa. Dovremmo fare un po' di canottaggio, per rinforzare le braccia.»

Giulia approvò con entusiasmo e dalla settimana successiva alla ginnastica mattutina e alle pedalate tra i boschi si aggiunsero la magia dell'acqua e della pagaia. Attraversavano il braccio più stretto del lago e si fermavano a mangiare dall'altra parte, in un paese che trovavano delizioso. Remavano in silenzio e si godevano i colori dei boschi e del cielo riflessi sulla superficie calma del lago. Quando erano lontani dalla riva pagaiavano più in fretta, perché la profondità dell'acqua li intimoriva. La loro sincronia era perfetta, mutavano il ritmo insieme senza bisogno di dirlo, e insieme rallentavano.

«Siamo dentro una nuvola!» gridò lei un pomeriggio, e in effetti remavano al centro di una nuvola bianca che se ne stava immobile al centro del cielo. Giovanni era davanti e non poteva vederla, ma sentire la felicità in quella voce gli fece piacere. Veramente sembrava che remassero in cielo, in un mondo bianco e azzurro. Passarono alcune anatre e il loro silenzioso volo riflesso nell'acqua aggiunse altra magia al paesaggio.

Per festeggiare la primavera invitarono Bruna e Gino con relative famiglie e anche una collega di Giulia, l'unica con cui era rimasta in contatto del suo vecchio ambiente di lavoro. Naturalmente fu un trionfo per Giulia, che aveva ideato un pranzo davvero squisito e soprattutto esibito le sue fioriture, delle quali andava fierissima. Gino e la moglie, che non andavano da tempo a trovarli, rimasero incantati da tanta bellezza e non lesinarono in complimenti per i loro ospiti. Pulce si esibì nel doppio salto del cerchio in giardino e forse furono gli applausi a coprire il rumore della caduta di Giulia. Aveva battuto contro lo stipite di una porta mentre serviva il dolce e soltanto per caso l'aveva soccorsa Giovanni che era entrato per aiutarla con il dessert. Giulia era stordita ma soprattutto spaventata. Ancora seduta sul pavimento lo guardava come una bambina e si accarezzava una guancia mentre Pulce le leccava l'altra.

«Dove ti fa male?» le chiese.

«Qui e qui» si indicò il viso e la spalla.

«Com'è successo?»

«Non lo so.»

Accorsero tutti e la adagiarono sul divano. Bruna le portò subito un asciugamano riempito di ghiaccio.

Per sicurezza chiamarono il medico del paese, che la visitò con cura ma senza trovare niente di grave. Uscendo disse a Giovanni che con i suoi precedenti Giulia avrebbe dovuto fare dei controlli. Non poteva escludere che avesse problemi visivi, o che avesse perso i sensi. Accolta da baci e abbracci di tutti dopo un'ora Giulia si alzò, e continuando a tenere il ghiaccio sul viso rise con gli amici del suo incidente. Un occhio si era un po' gonfiato e gran parte della guancia era arrossata, ma riusciva a muovere abbastanza bene la spalla e tutti dissero che poteva andare peggio e l'incidente alla fine non guastò la piccola festa di primavera. Ma, anche se rise alle solite battute di Gino, un'ombra era entrata nei pensieri di Giovanni e un nome gli era venuto subito in mente: Vronskij. Quel maledetto era tornato. Nessuno lo vedeva ma era lì nascosto tra i fiori e le piante, in mezzo a loro.

Quando si ritrovarono soli nel letto parlarono della crema antidolorifica che lui le aveva messo. L'avevano comprata per una banale caduta sugli sci e l'avevano trovata efficace. Dopo aver parlato dei benefici effetti della crema lei confessò un altro incidente, accaduto in tarda mattinata.

«Quando ho messo la macchina in garage ho rotto uno specchietto. Ero andata a prendere quel maledetto gelato, pensa.»

«Be', lo faremo aggiustare. Se ne rompono a migliaia tutti i giorni.»

«Ma non mi è mai successo! Una manovra che faccio ormai da anni. È come se non vedessi bene di lato.»

«Sarà un problema di vista. Se vuoi anticipiamo il controllo così ci togliamo il pensiero.»

«Sì.» Dopo un lungo silenzio aggiunse: «Mi sento come se fossi invasa da un estraneo».

Sentiva la presenza fetente di Vronskij, la sentiva anche lui e non poteva agitargli il pugno sul naso e tanto meno abbatterlo, ucciderlo con una pistola o un coltello. Sono un sempliciotto troppo gentile, si disse, ma per difendere Giulia lo ammazzerei a morsi!

«Com'era l'esercizio della respirazione profonda?» le chiese.

Giulia corresse la sua posizione e cominciò a guidarlo con il suo respiro. Giovanni eseguì prontamente, ma ogni espirazione dentro di lui diventava un grido di guerra, un grido antico che non si conosceva, una violenza indicibile che sfornava immagini orrende di facce devastate da colpi di pistola o di roncola, e di morsi, così forti che portavano via brandelli di carne. Poi per un po' finsero di addormentarsi e alla fine lui si addormentò davvero. Lei invece appena lo sentì russare aprì gli occhi e fissò il buio. Se fino a quel momento erano stati un solo corpo e una sola mente, ora cominciavano a separarsi.

Le analisi, subito sollecitate, dimostrarono che i loro peggiori sospetti erano purtroppo fondati e si stabilì un nuovo dettagliato piano terapeutico. Per qualche giorno rimasero come storditi, quando si stendevano sul letto uno di fronte all'altra e si toccavano i loro muscoli erano tesi e anche se cercavano di sorridere brividi di freddo e di paura li attraversavano dalla testa ai piedi. Poi Giulia sembrò rasserenarsi e anche Giovanni si tranquillizzò. C'erano molte carte da giocare, avevano detto i medici, non bisognava affatto darsi per vinti. Ripresero la loro solita vita, cercando di godersi le fioriture che li circondavano. Il canto di diversi uccellini in certe ore si faceva assordante, sembravano gradire molto il giardino. Il tono dei loro discorsi era diverso dal solito, e Giovanni non cercava di nasconderlo. Tagliando le foglie secche delle rose Giulia gli disse: «Quando non ci sarò più questo giardino deve restare vivo».

«Vuoi dire che devo innaffiarlo?»

«Certo, e anche il prato. E curare la serra. E Pulce!»

Pulce trotterellava felice tra le loro quattro scarpe e non sembrava avvertire il peso di quelle parole.

«Mi hanno dato altri sei mesi di permesso al lavoro.»

«Ah, li hai sentiti?»

«Sì, quando sei andato a fare la spesa. Poi mi daranno altri sei mesi e poi sono fuori. Nel caso andasse male avrò almeno il pensiero che la mia pensione finirà a te.»

«Davvero?»

«Certo, per legge. Così tieni da parte il tuo gruzzolo,

ti può sempre servire, non si sa mai che succede. A te, o alla Piccola.»

«Amore, stiamo facendo testamento? Perché allora lo faccio anch'io. Nella mia famiglia siamo meno longevi della tua.»

Le strappò un sorriso, e una risposta accomodante.

«Per esempio? Cosa ci scriveresti?»

«Che lascio tutto a te, e alla Piccola. In effetti non ci sarebbe neanche bisogno di scriverlo.»

«Tutto qui?»

«No, darei disposizioni anche per la mia tomba. Che scritta dev'esserci, di che tipo, quale carattere…»

«E sarebbe?»

«Le date, il nome: "Giovanni Peduzzi". E sotto: "Tipografo". Tutto in tondo, alto e basso, a epigrafe. Direi in tondo, non corsivo per carità.»

«Non mi piacciono i cimiteri. È una stupidaggine andare nei cimiteri.»

«E a me non piacciono i corsivi. Sembrano lettere zoppe. E soprattutto lettere piatte, senza le grazie, che infatti si chiamano così. Meglio se scolpite a mano, se c'è ancora qualcuno in grado di farlo, senza quegli orrendi caratteri in finto bronzo.»

Si guardarono un po', tutti e due accennando un sorriso che però non nasceva.

«Non so perché le persone sono attirate dalle cose brutte, dagli errori, dalle sciatterie. E quelle pietre che usano, poi, quelle marroni e nere, che sembrano i pavimenti d'un bagno della stazione.»

«Te l'ho detto, sono una stupidaggine, non mi è mai piaciuto visitare i cimiteri. Sono delle discariche comunali travestite. Ma che discorsi facciamo? Siamo due stupidi.»

«Sì, forse sì. Ma non m'importa.»

Dopo questo dialogo, e nonostante l'apparente buon umore di Giulia, Giovanni decise di non perderla mai di vista. Con il passare dei giorni si rese conto che sua moglie si stava semplicemente preparando alle scadenze che l'aspettavano. Aveva segnato con cura le date sul calendario, e scritto anche un elenco di documenti e vecchie analisi da portare. La sera, sulle loro sdraio, passavano le ore a guardare il cielo, la Via Lattea, la luna, i pianeti. Il profumo dei fiori era intenso anche di notte e sembrava avere un effetto calmante su di loro, tanto che Pulce si rifugiava nella borsa di Giulia e si addormentava. Giovanni beveva una birra, lei una spremuta, e stavano lì senza parlare fino a quando non avevano sonno. Giulia aveva ripreso a fumare parecchio e fumava due o tre sigarette di fila. Guardando i luccichii del lago e l'immensità del cielo, anche i pensieri peggiori rimpicciolivano. Una sera Giovanni le raccontò un piccolo episodio che non gli veniva in mente da anni.

«Una notte con lo zio Andrea ci trovammo a camminare su verso la chiusa, non mi ricordo perché. Forse doveva smaltire i due o tre finti selòn che si era scolato dalla Maria. In basso, tra le cime delle montagne, brillava una mezzaluna, e si vedeva così bene perché una linea di luce sottile la disegnava tutta, anche nella parte in ombra. Me la fece notare lo zio. "Varda che lüna, Giuanin! Va' che bèla!". E un attimo dopo... lo zio non c'era più. Era caduto giù per il fosso. Per fortuna c'era l'erba alta.»

«Si è fatto male?»

«No, ma per un po' non si sentiva niente. "Zio! Zio!" niente. Poi cominciò a ridere. Era rotolato fino in fondo, neanche riuscivo a vederlo. Che matto! Al bar lo salutavano tutti, "Il Peduzzi è tornato!". Gli volevano bene, anche perché pagava da bere.»

«Era molto simpatico tuo zio. Peccato sia morto così giovane.»

«Pensa, era più giovane di me adesso, aveva tutti i capelli neri. Come mio padre, sempre di cuore. "Siamo troppo lunghi per il cuore", diceva mio zio. Ma alla fine muoiono tutti allo stesso modo, corti e lunghi.»

Continuarono a parlare di varie persone scomparse negli anni, colleghi, parenti, vicini di casa, elencando malattie rare e comuni, pietose e crudeli. Poi dissero il poco che sapevano delle stelle tremule e fisse sopra di loro e andarono a dormire. Pulce non uscì neanche dalla borsetta e si lasciò traportare sino alla cuccia, accanto al busto del pensatore. Nella portafinestra della cucina avevano fatto montare una gattaiola, sufficiente per le sue dimensioni, e poteva andare in giardino quando voleva. Quando Giovanni, verso le cinque del mattino, aprì gli occhi si trovò davanti Pulce, che si dimostrò molto felice di vederlo. Si era sistemata sul cuscino di Giulia e sembràva a suo agio.

«Hai visto la signorina dove si è sistemata?» disse guardandosi attorno. «Giulia!»

Avevano fatto l'amore, prima di addormentarsi, quasi senza muoversi per via del sonno, ma era stato bellissimo e il sonno era sceso come un macigno subito dopo. La chiamò ancora ma lei non rispose. Scese le scale continuando a parlare, subito seguito da Pulce.

«Sei andata a fumare, lo so. Maledette sigarette, te le butterei nella spazzatura.»

Quando si rese conto che Giulia non era neanche in giardino infilò i pantaloni della tuta messa ad asciugare e si precipitò in garage inseguito da Pulce. Non era andato in bagno prima di scendere e ora la vescica gli esplodeva. Urinò contro il muro del garage e partì a tutta velocità senza sapere dove andare. La macchina si trovò sulla salita delle montagne ma la mente gli suggeriva tutt'altro. Giulia non sapeva nuotare, riusciva a malapena a stare a galla. Il lago. Era scesa al lago. Fece inversione e cominciò a scendere a notevole velocità verso il lago. La casetta dei ragazzi che affittavano le canoe era in un luogo molto appartato, e qualche volta aveva fatto fatica a riconoscere la piccola strada sterrata che portava da loro. A quell'ora non c'era nessuno e soltanto una catena sospesa tra due alberi lo costrinse a fermarsi poco prima della casetta. Corse verso il riparo delle canoe e non trovò nessuno neanche lì. Con la maglietta stropicciata, i pantaloni rossi con le righe bianche e le ciabatte da casa, si diresse più in fretta che poteva verso il piccolo molo. Giunto in cima guardò in tutte le direzioni, pensò addirittura di buttarsi in acqua, e infine la vide. Era su una vecchia canoa scolorita al centro di quel ramo del lago, dove l'acqua era profonda centinaia di metri. A un certo punto lei lo notò e anche se non poteva vederle gli occhi da quella distanza capì che lo stava guardando. Ci fu un dialogo muto tra loro, e durò molti minuti che per entrambi furono infiniti. Avrebbe voluto gridarle qualcosa ma non ci riuscì e rimase semplicemente fermo a guardarla, immobile anche lei, su una vecchia canoa violastra, sospesa sulla voragine d'acqua. Bastava seguire le linee delle montagne per capire quanto era profondo l'abisso. Alberi e acqua emettevano un suono sottile, e un buon profumo. Anche nuotando come un forsennato non l'avrebbe raggiunta in tempo, e anzi forse nuotando verso di lei avrebbe accelerato la sua decisione. Era troppo bella per lui, lo era sempre stata. Mettersi con un tipografo senza lavoro, salvato da un miracolo. Voleva dirle: "Io sono qui, ti aspetto". Ma nello stesso tempo si sentiva un motivo insufficiente. Era un uomo mancante, irrealizzato, che le chiedeva disperatamente in silenzio di restare. "Fermati ancora un po'", le disse con il pensiero, "resta qui uccellino impazzito". Lei obbedì e cominciò a pagaiare lentamente verso il molo. L'acqua sembrava densa, la canoa scivolava piano come sulla neve, senza lasciare traccia del suo movimento. Giunta al molo Giovanni si piegò in avanti e la sollevò abbracciandola forte. Le sua labbra erano violacee e gelide, come la mani. Non aveva niente con sé, soltanto il vestito leggero che portava in casa, in parte bagnato. Sul fondo della canoa stagnavano diversi centimetri d'acqua sporca.

«Andiamo a casa» le disse cercando di scaldarla stringendola e baciandole il viso dovunque, sugli occhi, sulle labbra, sui capelli. «Ti preparo un bel bagno.»

Stavano per salire in macchina quando arrivò uno dei ragazzi delle canoe, che li guardò abbastanza sbalordito.

«Qualche problema?» chiese.

«No, grazie» rispose Giovanni aprendo la portiera a Giulia. «Molto gentile, non ci serve niente. Buongiorno.»

## 12

Due anni dopo Giulia si spense nel suo letto, stringendo la mano di Giovanni, che l'aveva assistita senza lasciarla neanche un istante. Giovanni rimase accanto a lei per diverse ore e non volle chiamare nessuno. Non smise mai di guardarla e di parlarle sottovoce, come se potesse sentirlo in qualche modo. Erano i suoi ultimi momenti con lei e non voleva dividerli con nessuno. Pulce dormiva in fondo al letto e non era chiaro se la stava vegliando anche lei o se dormiva. Aveva fatto male a farla soffrire? Avrebbe dovuto lasciarla andare quando aveva deciso di andarsene? Non sapeva darsi una risposta ma il tempo trascorso accanto a Giulia era stato bello. Ora tutto il dolore che lei aveva dovuto soffrire negli ultimi mesi si era trasferito in lui. A un certo punto quel maledetto Vronskij era tornato. Il giorno dopo arrivò sua figlia Lisa, da sola, perché non voleva spaventare il bambino, e gli fu di grande aiuto. Al funerale vennero tutti i loro conoscenti, anche colleghi d'ufficio di Giulia che non aveva mai visto prima. La reazione di Giovanni sorprese i presenti. Era svuotato, praticamente morto anche lui, pallido, ma non versò una lacrima e fu con tutti gentilissimo. In ospedale aveva ringraziato quasi fino a umiliarsi medici e infermieri, che in effetti avevano lavorato coscienziosamente, ma senza dimostrare negli ultimi mesi una grande sensibilità: sembravano seccati dal peggioramento di Giulia, delusi, come se fosse in qualche modo dipeso dalla sua volontà. Giovanni era stato colpito da questo particolare e l'aveva paragonato agli errori infiniti che trovava nelle prime pagine dei giornali, da accettare con rassegnazione. Alla fine della cerimonia aveva ringraziato anche i becchini e stretto la mano a tutti, alle persone che erano venute da lontano ma anche al commesso che aveva portato i fiori, a dire il vero assai ridondanti in quella casa. Gino e Bruna si preoccuparono moltissimo vedendolo con quello strano sorriso che non riusciva a togliersi dalla faccia. Accogliendoli il giorno prima aveva detto una frase incomprensibile che li aveva lasciati attoniti: «Che vuoi farci, doveva succedere…». E facendo strada aveva aggiunto sottovoce: «Quel maledetto Vronskij…».

Gino si era addirittura guardato attorno in soggiorno pensando di vedere questo sgradito sconosciuto, che invece non fu più citato. Bruna pensò che si riferisse a un medico, ma vedere suo cugino in quello stato le faceva male, avrebbe voluto scuoterlo, prenderlo a schiaffi come faceva quando erano bambini e lei era l'eterna cattiva. Avrebbe voluto costringerlo a piangere, ma lui non aveva pianto nemmeno accarezzando le guance fredde di Giulia. Il viso ammirato di Giovanni sembrava esclamasse: È bella anche da morta, vero? E come le sta il vestito! In realtà aveva detto soltanto: «Abbiamo avuto in dono tredici anni, e sono stati tredici anni belli come e più degli altri, non è poco».

La Nina, Gino e Bruna piansero per giorni, Lisa pianse pochissimo, Giovanni mai. I suoi occhi erano asciutti, come del resto tutto il suo corpo. Non mangiava da giorni, si sosteneva con acqua ghiacciata e caffè, eppure era scattante e tonico, pronto a stringere mani e a baciare guance umidicce. Pulce, terrorizzata da quel viavai, si era rifugiata in lavanderia e aveva dormito tutto il tempo nel cesto della biancheria sporca. Esauriti nel pomeriggio tutti i cerimoniali, gli ospiti se ne andarono uno dopo l'altro e in casa restarono padre e figlia in compagnia del cane. Lei andò a letto presto perché il giorno dopo sarebbe partita all'alba. A quel punto Giovanni sarebbe restato solo. Forse si sentiva ormai così solo che esserlo anche fisicamente non faceva alcuna differenza. La sua espressione, vitrea, quasi ghignante, restò la stessa. Non aveva bisogno di compagnia, non accese la televisione, non accese le luci, non fece assolutamente niente per ore. Poi si ricordò qualcosa e corse in giardino inseguito da Pulce. Con tutto quel caldo non aveva innaffiato! Al prato pensava l'irrigatore automatico ma delle piante invasate e delle rose doveva occuparsi lui, e anche di piante e fiori di cui non avrebbe mai più saputo dire il nome. Erano fiori, piante. Giulia era convinta che sarebbe tornata a vivere nei suoi fiori ma lui non riusciva a crederci. Erano belli, certo, bellissimi, ma sentiva verso di loro la stessa distanza che aveva sentito baciando tutte quelle guance umide. Erano vive, quelle piante, come quelle persone che se ne erano andate sulle loro gambe, con tutti quei buffi capelli in testa come scimmioni. Tutto era vivo, fiori ed erbacce, menta e ortica. Non avevano niente in comune con lui che le dissetava. Si sentiva molto più vicino alle pietre bianche che contornavano le rose più belle, con il loro assurdo nome dimenticato per sempre e forse mai saputo davvero. Come lui le pietre non si nutrivano, ma sembravano apprezzare il getto dell'acqua. Diventavano lucide e brillavano sotto la luna, ma presto si opacizzavano e tornavano nell'ombra. Pensò addirittura che gli sarebbe piaciuto rinascere pietra. Innaffiò forse anche troppo, controllò la serra, versò acqua fresca per Pulce e andò a sedersi in poltrona.

Alle cinque e mezzo, quando sentì la sveglia di Lisa, apparecchiò la tavola e preparò un'abbondante colazione.

«Cerca di stare su, pa'. Vorrei fermarmi di più ma non posso, Hans deve andare a lavorare, il bambino all'asilo… lo sai come va.»

«Stai tranquilla e serena con la tua famiglia. Devi pensare che a me non può succedere più niente.» Le indirizzò un sorriso abbastanza incomprensibile prima di aggiungere: «Sono immortale».

Anche la figlia cercò di sorridere, ma senza volere mostrò una smorfia di dispiacere e trattenne a stento le lacrime.

Tornato dall'aeroporto Giovanni si fermò qualche minuto al cimitero, ma lì non riusciva a parlarle. Le lasciò due fiori e andò a casa. Pulce sembrava consapevole di quanto era successo, forse aveva capito che Giulia era lì, in quella buca incredibilmente profonda dove l'avevano calata. Preferiva parlarle dentro di sé, seduto in giardino sulla sdraio, con gli occhi chiusi. Le parlava, ricordava esattamente cosa si erano detti una certa sera, e come faceva da bambino con i fumetti che gli erano piaciuti una volta girata l'ultima pagina li rileggeva al contrario. Si faceva anche in tipografia, con i titoli e con i testi molto importanti: prima si leggevano normalmente e poi si rileggevano al contrario. Solo così si smaschera l'errore carogna! Quello che si nasconde come un soldato in tuta mimetica, il bastardo! Trascorse il resto della giornata nelle sue occupazioni di sempre: curò i fiori della serra, tagliò una lunga siepe, zappettò la terra attorno agli alberi da frutto, tagliò l'erba del prato. Pulce gli faceva compagnia e lo seguiva dovunque, spesso portando con sé una pallina o un rametto appena tagliato. Manifestava la sua malinconia accucciandosi accanto a Giovanni e fissando la porta finestra della cucina, come se si aspettasse di rivedere la sua padrona. Guardava a lungo la porta poi chiudeva gli occhi e dormicchiava fino a quando Giovanni non doveva spostarsi di nuovo. Soltanto il rumore della falciatrice le faceva paura e allora correva verso casa e da lì cominciava ad abbaiare. A Giovanni sembrava di non soffrire abbastanza. Erano giunti i giorni che temeva da anni, che avevano suscitato fantasmi spaventosi come quello di Vronskij, e ora tagliava il prato. Rispettava un grande desiderio di Giulia, non avrebbe lasciato morire il giardino, anche se doveva ammettere che se non avesse fatto quella promessa non se ne sarebbe occupato neanche un minuto, neanche un po' d'acqua al basilico avrebbe versato. Provava pena per gli altri ma non per sé, anche questo gli sembrava strano. La coppia di anziani che abitavano nella casa più vicina l'avevano impietosito quando erano venuti per le condoglianze. Vecchi, acciaccati, lui zoppicante lei mezza sorda. Poveracci, aveva pensato guardandoli andar via.

Dopo il lavoro sedette sulla sdraio per ammirare il tramonto sul lago, e poi la luna che cominciava il suo viaggio. Immaginò Giulia seduta accanto a lui e cominciò a sorridere perché gli venne in mente cosa le avrebbe chiesto all'improvviso: "Ma tu sei dei Belli o dei Brutti?". E lei avrebbe risposto: "Dei Belli!". E senza alcun motivo avrebbero trovato il dialogo divertente e se ne sarebbero andati a cena allegri.

«E tu Pulce, sei dei Belli o dei Brutti?»

La cagnetta scattò in piedi e abbaiò. Era lei l'unica interessata alla cena. Che per Giovanni fu soltanto un tentativo. Sbucciò perfettamente una mela poi ne tagliò una rondella sottile, ma trovandola troppo grande la tagliò a metà e quel poco che mise in bocca lo masticò fino a stancarsi. Passò l'altro pezzetto a Pulce, che lo gradì molto. Forse non soffriva abbastanza perché era andato oltre la sofferenza. Come aveva detto a sua figlia, si sentiva immortale. Non poteva più succedergli nulla. Gli altri vivevano nella paura e nell'ansia, lui invece non aveva più paura di niente.

Dormì nelle stesse lenzuola che avevano accolto l'ultimo giorno di Giulia e per tutta la notte ne sentì il profumo. Dormiva un po' e si svegliava, ma in fondo gli stessi pensieri attraversavano veglia e sonno perché una volta si svegliò sorridendo. Si ricordava esattamente il giorno in cui si erano travestiti da famiglia reale. La Piccola aveva quattro, forse cinque anni. Lui si era vestito da re, con un costume in realtà da principe azzurro, Giulia da regina, la Piccola da principessa. C'era una foto di quel giorno appesa in camera di Lisa. Si alzò e andò a guardarla e tornò sorridendo. Erano stati applauditi a lungo alla festa. Anche se Lisa aveva pianto perché le amiche non volevano inchinarsi davanti a lei. Giulia si era messa un finto neo che accentuava la sua aria aristocratica, e si sventolava solennemente con un ventaglio di pizzo. Portava al dito uno smeraldo di plastica grande come una noce. La felicità è leggerezza, è una cosa sottile, che se la chiami con il suo nome scompare. Dev'essere inconsapevole e senza sforzo. I suoi pensieri erano aggrappati a un concetto semplice e chiaro: che vita felice era stata la sua. Più bella di quella di un re. La sua regina con il neo di carta, come l'aveva baciata quella notte, per ore. Forse per il neo, per il trucco scintillante attorno agli occhi, o forse per la sua corona di plastica, l'aveva desiderata tutta la sera senza poterla toccare per via dei bambini. Non erano mai sprofondati in un bacio così lungo. E mai aveva baciato così nessun'altra. Volevano diventare uno, come due parti divise in un lontano passato. Ora Giulia abitava dentro di lui. Aveva scelto di restare con lui, aveva scelto di tornare a casa, quindi era dentro di lui, e lì voleva restare. Per questo gli aveva fatto promettere di curare il giardino e la serra, perché voleva costringerlo a vivere. "Sono io il fiore nascosto del mughetto", questo voleva dirgli, "sono io il suo dolce profumo". Non poteva crederci davvero, era un inganno e lo sapeva, era un trucco ma anche un modo per dirgli quanto era importante per lei e quanto era grande il suo amore. Un'altra immagine ricorrente era questa: Giulia che remava piano verso di lui, forse temendo i suoi amorevoli rimproveri che però non erano stati neanche pensati. Non c'era bisogno di parole tra loro, si capivano perfettamente guardandosi. Le parole erano soltanto un passatempo, una sorta di musica che suonavano insieme. Lei sull'acqua profonda tornava da lui, questo era essenziale. Gli altri non l'avevano avuta, anche Vronskij era rimasto a bocca asciutta.

Aveva sempre creduto che il dolore assoluto si accompagnasse alla confusione e al caos ma non era così, anzi lo rendeva lucido e i suoi pensieri erano netti come i dettagli di una fotografia stampata a contatto da una lastra di banco ottico. Il massimo della nitidezza. Come il tavolo del nonno, che sembrava disegnato con un pennello sottile e invece era reso splendente dallo sfregamento delle sette pietre. Il mestiere del nonno e di suo padre era pieno di segreti custoditi gelosamente per generazioni. Molti avevano cercato di carpirli ma inutilmente. Nessuno poteva sapere che le sette pietre erano custodite nel cassetto del grande tavolo che ingombrava la loro sala da pranzo. Suo nonno le aveva lasciate a suo padre. Lui ora ci giocava mettendole in fila, e pensava che anche la sapienza se ne andava insieme alle persone e lo trovava normale. Non c'era più in lui alcun pensiero polemico. La sua casa custodiva un segreto che non interessava più a nessuno. Un tempo le ditte della città mettevano dei finti garzoni a servizio del nonno ma lui li faceva sgobbare e li teneva lontani dal segreto. Consultò il vocabolario e rimase colpito dall'etimologia: da *secretum*, participio passato di *secernĕre*, che significava "separare". Fantasticò su questa parola a lungo, trovandola profonda e chiarissima. Anche Giulia, separata da lui, era ormai un segreto che abitava nella casa. Credeva di vederla in giardino, o di sentirla muovere in camera da letto, la percepiva accanto a sé sul divano o al tavolo della cucina durante i suoi microscopici pasti. Suo padre custodiva il segreto delle sette pietre, lui avrebbe custodito ancor più gelosamente quello di Giulia. Non ne voleva parlare con nessuno, neanche con sua figlia.

Gli sembrava indispensabile custodirlo perché altrimenti l'avrebbe disperso. Quando Gino e Bruna cercavano di parlargliene, nelle loro frequenti telefonate e durante le visite, lui alzava le spalle e diceva le solite banalità che si dicono in questi casi, è la vita, non si può fare niente, o semplicemente: è così.

Una volta alla settimana andava a trovarla, portando i fiori più belli. Sbrigava velocemente il lavoro in giardino e nella serra e passava il resto del tempo all'aperto sulla sdraio, se era bel tempo, o sul divano se pioveva o faceva freddo. Anche se a volte accendeva la televisione non seguiva i programmi e cercava di ricordare i tanti momenti belli della sua vita. Riusciva a ricordarne sempre di nuovi, episodi dimenticati da anni gli tornavano in mente all'improvviso e la sua espressione sfiorava la beatitudine. Un attimo prima la sua memoria era come una lavagna nera, completamente vuota, e all'improvviso gli tornava in mente un rumore affrettato di passi. Si erano allontanati, il temporale si avvicinava, gli alberi del bosco agitavano i rami, spaventati anche loro. Avevano vent'anni. La paura era eccitante, non era vera paura e infatti tremavano dal freddo ma ridevano, perché a loro non poteva succedere niente di male. Un anno dopo si sarebbero sposati, contro il parere dei genitori di Giulia, che volevano un medico in casa o almeno un avvocato. Cominciò a piovere e corsero a ripararsi in una vecchia stalla abbandonata. Con la pioggia si erano sprigionati i profumi del bosco e dei prati ed erano rimasti seduti su un gradino per due ore ammirando lo spettacolo. Giulia aveva freddo ma lui la stringeva a sé e riusciva a scaldarla. Il cuore le batteva forte, sentiva il suo battito sul petto. Cosa si erano detti in quelle ore? Perché erano tanto felici? Le parole le aveva dimenticate, restavano i profumi, le linee del viso di Giulia, che all'inizio sembravano incerte ma un po' alla volta tornavano nette com'erano. Dopo il temporale erano scesi di ottimo umore verso casa. Per cena li aspettava sua madre. Stava ancora cucinando davanti al suo amato telegiornale quando arrivarono bagnati e allegri. Lei li fece cambiare come due bambini, e a Giulia capitò un suo vecchio maglione che le stava benissimo. Sua madre e Giulia andavano d'accordo, si erano piaciute subito, e ora le rivedeva mentre parlavano scaldandosi accanto al fuoco. Non potevano sapere che lui le avrebbe ricordate insieme con tanta precisione molti anni dopo, quando entrambe erano sparite. Eppure quelle ore erano state concrete, come potevano svanire nel nulla? Perché dovevano essere meno reali di quelle che stava vivendo adesso?

Un giorno, mentre andava con Pulce al guinzaglio verso il minimarket, incontrò un piccolo corteo funebre, composto soprattutto di anziani. Il trasportato era infatti un anziano frequentatore del bar, persona perbene e di poche parole che Giovanni conosceva da sempre. Si fermò un istante e al passaggio del feretro si segnò, intrecciandosi un po' con il guinzaglio di Pulce. Salutò anche i parenti in prima fila con un nobile cenno del capo ma non provò commozione. Non era il morto a impressionarlo ma i morenti che gli andavano dietro. Il giovane prete africano che sostituiva il vecchio parroco recitava le sue preghiere diffondendo la voce con un megafono. Si sforzava di pronunciare bene ogni parola e il risultato gli sembrò più che decoroso. Al minimarket acquistò soprattutto cibo per Pulce e un po' di formaggio, che qualche giorno dopo sarebbe finito nel secchio dell'umido. Giulia ci teneva a separare bene i rifiuti e cercava di ridurre al minimo l'uso della plastica. Per andare in bicicletta con Pulce scovò in soffitta un vecchio zaino da bambina e lo adattò facilmente tagliando la fascia superiore. Portandolo sul petto anziché sulle spalle Pulce poteva guardare la strada e il paesaggio come lui e naturalmente apprezzò molto l'invenzione. Cominciarono ad andare in bici ogni giorno più lontano, attraverso sentieri impervi o quasi inesistenti, raggiungendo piccoli laghi sconosciuti. Incontrava ogni tanto altri ciclisti molto più giovani di lui, che però trovavano divertente il musetto di Pulce che sbucava curiosa dallo zaino drizzando le orecchie verso di loro. Con due giovani ciclisti del paese fece quasi amicizia e quando si incontravano si salutavano e scambiavano due parole, parlando soprattutto di freni e gomme. Considerando la sua scarsa alimentazione si sentiva dentro una grande energia, che aumentava ogni giorno con l'allenamento. La salita che una settimana prima gli toglieva il respiro adesso la superava senza fatica. Quando ne affrontava una troppo impervia a volte doveva fermarsi e si sdraiava su un prato per recuperare le forze mentre Pulce ispezionava la zona. Dopo alcune settimane riusciva a raggiungere luoghi che con Giulia aveva raggiunto solo in macchina. Quando arrivava al belvedere o alla malga che voleva visitare si sentiva in estasi. Aveva rivisto anche il prato dove andavano per ammirare la splendida fioritura del giglio selvatico, e ci aveva fatto una bella dormita. Lo sforzo fisico era come una droga, i suoi pensieri diventavano leggeri e profondi, spaziavano liberamente dentro di lui, riviveva giornate intere che credeva dimenticate e come se non bastasse gli si risvegliava l'appetito e il piccolo panino che aveva preparato la sera prima gli sembrava squisito. Anche Pulce mangiava e beveva più del solito. Dopo il panino cercava un posto tranquillo, apriva il plaid che portava sempre con sé e finalmente dormiva due ore di fila. Soltanto se qualcuno si avvicinava troppo Pulce si alzava e abbaiava. Queste gite giovavano molto all'umore di Giovanni e ai suoi pensieri. Quando pedalava i ricordi di Giulia diventavano allegri, sparivano le immagini tristi degli ultimi mesi. Aveva scoperto una sorta di macchina del tempo a pedali. All'inizio dell'autunno gli giunse la notizia della pensione di Giulia, che sarebbe finita nel suo conto corrente ogni mese. Non aveva bisogno di soldi e decise che li avrebbe mandati a sua figlia. Ma la comunicazione lo intenerì molto e per la prima volta da mesi i suoi occhi si riempirono di lacrime, calde e benefiche. Quella che sembrava una qualsiasi comunicazione burocratica era in realtà una lettera di Giulia, che gli giungeva da lontano come una carezza o un bacio sulla fronte. Si sentì letteralmente abbracciato da lei. Piangeva e si sentiva felice, tanto che Pulce cominciò a saltellargli intorno e ad abbaiare giocosa.

«Sai che facciamo, Pulce? Domani per festeggiare saliamo lassù, sopra i millecinquecento metri!»

Era un progetto che accarezzava da giorni. Ci erano andati soltanto una volta, con la macchina e poi a piedi, molti anni prima. C'era anche Gino. Avevano scattato molte foto ma le immagini non riuscivano a restituire l'effetto di immensa apertura sul mondo. Era come guardare il lago e le montagne da una mongolfiera. Giulia sprizzava vitalità ed energia quel giorno, camminava davanti, poi correva indietro per raccontare qualcosa che le era venuta in mente, poi si fece fotografare con una capra imbambolata. Ogni tanto riappariva, quella vecchia foto. Lei indossava dei pantaloni aderenti di flanella che le stavano molto bene e gli scarponi nuovi.

Si sentiva così eccitato dall'impresa che di notte fece fatica a dormire. Ogni tanto si girava verso Giulia come per parlarle, lo stesso gesto che gli sfuggiva spesso anche durante il giorno, quando all'improvviso decideva di telefonarle. Era bello pedalare in salita, i pensieri diventano quasi dei film, precisi e leggeri come pellicole. In piena notte, seguito da Pulce piuttosto sbigottita, preparò la borraccia dell'acqua, a cui aggiunse una spruzzata di limone e una bustina di sali minerali. Tagliò un panino e ci mise dentro la solita fetta di formaggio ben stagionato. Naturalmente non dimenticò il pranzo e la merenda per Pulce. Sarebbe partito sul momento, al buio, ma si rese conto che non era possibile. Tornò a sdraiarsi sul letto, agitatissimo, dormendo ogni tanto come si dorme in treno, con la paura di non svegliarsi in tempo.

Alle prime luci dell'alba inforcò la bicicletta e con il suo strano marsupio sul petto si avviò verso la montagna più alta. I primi chilometri furono facili, poi la strada asfaltata finì e dopo un lungo tratto nel bosco cominciò la salita. La vegetazione andava diradandosi, lungo il sentiero di terra battuta sfioravano le bacche arancioni delle rose canine, che addolcivano i colori più spenti dell'autunno che si avvicinava. Per fortuna, in fondo a un grande prato bruciato dall'estate, il viottolo lo portò su una piccola strada asfaltata che non conosceva, e si rassegnò a una salita meno avventurosa. Più avanti sorpassò una macchina parcheggiata malissimo, e poco dopo incontrò un signore che passeggiava guardandosi attorno. Era alto quasi come lui, ma era molto più anziano. I loro sguardi si incrociarono un istante e Giovanni continuò a pedalare pensando che quello sguardo aveva qualcosa di familiare. Poteva essere benissimo suo zio Andrea, se fosse riuscito a invecchiare. Era proprio un tipo così. Un tempo suo zio, chissà in quale città, frequentava assiduamente un circolo dal nome eloquente: Circolo degli sbandati. La sua era una famiglia di sbandati. Scalpellini, scagliolisti, orologiai, Milano, La Chaux-de-Fonds, Bienne, Chiasso, Lugano. Andavano e tornavano. Il vecchio signore alto che camminava verso la sua Mercedes gli restò negli occhi per chilometri. Decise di considerarla la benefica apparizione di suo zio, un saluto prima di ripartire, alla sua maniera. Ricordò l'orologio che aveva regalato a Giulia per la laurea: di gran marca, d'oro, bellissimo. Suo zio era un grande ammiratore di Giulia, l'aveva trovata bella sin dalla prima volta e ogni tanto le faceva un regalo. Portava regali per tutti dai suoi viaggi: sigarette, sigari di Brissago, formaggi sconosciuti sottovuoto. Il suo alito sapeva di Pernod e detestava tutti i politici e tutti i suoi padroni, con i quali si vantava di non avere mai fatto amicizia. Il giorno della laurea in Lingue di Giulia, ottenuta con il massimo dei voti, era stato davvero speciale. Erano già sposati e presto sarebbe nata la Piccola.

La salita si fece sempre più severa, a un certo punto dovette fermarsi perché le gambe gli facevano male, erano diventate di legno e anche camminare non era facile. Bevve un lungo sorso d'acqua e limone e proseguì a piedi spingendo la bicicletta. Pulce lo guardò incuriosita girando la testa in modo buffo. Quando si sentì di nuovo in forze si rimise sul sellino e pedalò ancora quasi per due ore.

Soltanto qualche volta, nell'adolescenza, aveva sottoposto il suo corpo a uno sforzo così intenso. Non pensava più, respirava soltanto, ascoltava il dolore dei muscoli che però non si arrendevano e pedalata dopo pedalata lo spingevano avanti. Finalmente il panorama si aprì dopo un'ultima curva, maestoso e azzurro, e si sentì fiero della sua impresa. Riuscì a stento a tenersi in piedi quando scese dalla bici. Provò un profondo senso di beatitudine che lo ricompensò di tutte le fatiche. Giulia l'avrebbe applaudito, l'avrebbe accolto come una miss accoglie il campione, baciandolo forte sulle guance. Era carina il giorno della sua laurea. Indossava un abito scuro, giacca e pantaloni, con piccoli fiori stampati. L'orologio le stava benissimo. Quel giorno le aveva scattato la sua foto più bella, l'unica che la rappresentasse davvero.

La fatica si faceva sentire, era sdraiato accanto a Pulce ma si sentiva ancora in salita e ogni tanto aveva delle piccole assenze piacevoli che si mescolavano con la fotografia di Giulia e l'apparizione dello zio Andrea. Fece colazione insieme a Pulce e dormì soltanto qualche minuto. Si svegliò più stanco e indolenzito di prima, e decise di tornare subito a casa. Aveva esagerato, ma era stata una salita entusiasmante. La discesa non fu facile, sbagliò anche strada e dovette tornare indietro per qualche chilometro. Poi riprese a pedalare quasi in pianura fino a casa, dove giunse nel primo pomeriggio. Prima di farsi la doccia attivò l'irrigatore automatico e si sedette sulla sdraio per bere l'acqua e limone che gli restava. Senza rendersene conto aveva aperto anche la sdraio di Giulia. Le piacevoli assenze si facevano sempre più profonde e senza fargli alcun male, a un certo punto, il suo cuore stanco si fermò.

Finito di stampare nel mese di aprile 2022
presso ☲ Grafica Veneta – via Malcanton, 2 – Trebaseleghe (PD)
Printed in Italy